© Food Editore, un sello editorial de Food s.r.l.
Via G. Mazzini, 6 -43121 Parma; Via P. Gaggia, 1/A – 20139 Milano

Importado y publicado en México en 2011 por / Imported and published in Mexico
in 2011 by: Advanced Marketing, S. de R.L. de C.V.
Calz. San Fco. Cuautlalpan no. 102 bodega D, Col. San Fco. Cuautlalpan,
Naucalpan, Edo. de México, C.P. 53569

Fabricado e impreso en Italia en Enero 2011 por / Manufactured and printed in Italy on January
2011 by: Reggiani S.p.A.
Via C. Rovera, 40 - 21026 Gavirate - Italy

Título Original / Original Title: Embarazo y Lactancia / Pregnancy and nursing diet

Coordinación editorial
Giulia Malerba
Coordinación de redacción
Monica Nastrucci
Proyecto gráfico
Cristiana Mistrali
Encuadernación
Food Editore
Colaboradores
Francesca Badi, Chiara Gianferrari, Daniela Martini, Monia Petrolini
Fotografías
Davide Di Prato
Traducción
Laura Zocchi - Laura Cordera - Concepción O. de Jourdain
Corrección de estilo en Español
Cristina Tinoco de Oléa

Agradecemos a
Silvana Arduino (Ginecóloga del Hospital Obstétrico-Ginecológico Santa Ana de Turín)
Filomena Leone (Nutrióloga del Hospital Obstétrico-Ginecológico Santa Ana de Turín)
Cristiana Marchese (Genetista del Hospital Mauriziano de Turín)

Advertencias
La información de tipo sanitario contenida en estas páginas no debe de ninguna manera
considerarse como dirigida a un individuo en particular ni tampoco como substitutiva de
alguna receta médica; para los casos personales se aconseja siempre consultar con su médico
de cabecera. La autora no es responsable de los efectos que puedan derivar del uso de esta
información.

ISBN: 978-607-404-388-4

Embarazo
y lactancia

De Serafina Petrocca

ANIMAE

Prólogo

La gran mejoría que se ha tenido en los últimos 50 años en el éxito de los embarazos, tanto para la mamá como para el feto, depende de varios factores. Algunos de ellos se deben a los avances en la medicina, otros a la evolución socio-cultural y a las modificaciones en el estilo de vida de la población; entre ellas la alimentación.

Se está difundiendo cada vez más el conocimiento de que la alimentación materna durante el embarazo tiene un papel preponderante; todas las directrices emanadas de las organizaciones nacionales e internacionales relativas al embarazo, tienen capítulos específicos tanto sobre los alimentos que pueden ser perniciosos, como acerca de la necesidad de dar a las mujeres información sobre la correcta alimentación.

En ocasiones, los doctores tienden a subrayar lo que no hay que comer porque es fuente de posibles infecciones dañinas para el feto (por ejemplo: carne no muy cocida, huevos crudos, leche y quesos no pasteurizados, etc.). Y, algunas veces, no nos detenemos tanto en la importancia de una alimentación equilibrada: la necesidad calórica incrementada por el embarazo debida a las grandes modificaciones del organismo materno y a las exigencias del feto que tiene que desarrollarse y crecer. Hay que satisfacerlo pero no tanto y no sólo comiendo más (¡"tienes que comer por dos" decían nuestras abuelas!), pero comiendo "bien". Cada vez se acumula más evidencia científica acerca de que el feto que crece adecuadamente en el útero tendrá menos riesgos de desarrollar en la edad adulta enfermedades como la hipertensión o diabetes. "Comer bien" significa introducir cada día las diferentes sustancias (proteínas, carbohidratos, vitaminas, etc.) en las cantidades y en las proporciones adecuadas. Este tipo de información es exactamente lo que proporciona este volumen escrito por la doctora Petrocca. Estoy convencida de que el texto será de gran utilidad a las futuras mamás, pero también a todos aquellos que se ocupan de promover la salud materno-infantil. La rica recopilación de recetas ayudará a traducir la teoría en práctica.

Tullia Todros, profesora Ordinaria de Ginecología y Obstetricia de la Universidad de Turín, Directora de Estructura Compleja de Obstetricia y Ginecología especialmente en el área Materno-Fetal, Empresa Hospitalaria OIRM-Santa Ana, Turín.

Contenido

LA DIETA
durante el embarazo

SABER CÓMO NUTRIRSE DURANTE EL EMBARAZO Y CUÁLES ALIMENTOS SON LOS QUE AYUDAN A PREVENIR CIERTAS MOLESTIAS, PUEDE SER DE GRAN UTILIDAD NO SÓLO PARA QUE EL EMBARAZO TRANSCURRA BIEN, SINO TAMBIÉN PARA PONER LAS BASES ADECUADAS PARA LOGRAR UN DESARROLLO SANO PARA EL PEQUEÑO.

La alimentación comprende todas las etapas de la vida y tiene que satisfacer las exigencias específicas de cada edad. Todo esto se hace aún más importante durante el embarazo y después durante la lactancia. El crecimiento del futuro bebé depende completamente de la madre y esto influye desde luego en los **requerimientos nutrimentales de la mujer: las cantidades calóricas aumentan y se necesita mayor cantidad de casi todos los nutrientes.** Si bien es cierto que aumentan los requerimientos calóricos durante los nueve meses de la espera, esta cantidad tiene que volver a sus justas dimensiones; de hecho, en promedio, el incremento de la necesidad calórica diaria corresponde más o menos a 200-300 calorías.

Hablando en palabras sencillas estas calorías corresponden a:

30 g de queso parmesano (116 kcal) + 1 cucharada de aceite de oliva (90 kcal)

30 g de almendras (189 kcal) + 200 g de peras (70 kcal)

130 g de pizza con jitomate (315 kcal)

Desde luego, tenemos que subrayar que cada caso hay que verlo de manera individual y **la dieta tiene que considerarse dependiendo de diversas variables** como las condiciones de peso antes del embarazo, el número de gestaciones y el espacio entre éstas.

Otros factores que no se pueden olvidar son la edad de la mujer, la masa corporal constitucional y el mes del embarazo en que se encuentra la futura mamá (una cosa es estar en el primer mes y otra en séptimo: ¡las exigencias calóricas son diferentes!).

Debido a todas estas razones hay que personalizar de vez en cuando los

consejos y las sugerencias.

Cuidado
no hay que engordar demasiado

El aumento de peso durante el embarazo es un fenómeno totalmente fisiológico, pero hay que tener cuidado para que no sea excesivo.

Después de nueve meses de gestación **el aumento proporcional correcto debería ser de 10 kilos más o menos** (aunque se considera también dentro de lo normal aumentar hasta 13 kilos) distribuidos de la siguiente manera:

‣ en el **1er trimestre** el aumento ideal debería ser más o menos de1 kg; el feto todavía es demasiado pequeño para considerarlo como parte del peso materno;

‣ en el **2° trimestre** el peso debería aumentar alrededor de 4 kg; este crecimiento lo determina

11

un buen embarazo

Esos 10 kilos ideales corresponden a:

‣ líquidos retenidos: alrededor de 3 ó 4 kg
‣ líquido amniótico: alrededor de 800 g
‣ útero agrandado: alrededor de 1 kg
‣ la placenta: alrededor de 700 g
‣ el feto: alrededor de 3.5 kg

fundamentalmente la acumulación de grasa y el continuo crecimiento del feto, pero también se debe al aumento del seno, del útero y del volumen de la sangre materna;

‣ en el **3er trimestre** idealmente se llega a tener 10 kg más; el aumento proporcional se debe sobre todo al crecimiento del feto y de la placenta. Es importante controlar las variaciones de peso no sólo por razones estéticas sino, sobre todo, para mantenerse en buena salud durante todo el embarazo; de hecho, mantener controlado nuestro peso puede prevenir muchas molestias como son el dolor de espalda, las nauseas, la mala digestión y tantos otros malestares que se pueden presentar durante del embarazo.

El peso materno en embarazos gemelares

En Italia se ha registrado un aumento de embarazos gemelares en los últimos años, especialmente del tipo trigémina (tres gemelos). Las causas se atribuyen principalmente a:

▌ el aumento en la edad de la madre: entre más aumente la edad materna, más aumenta el "riesgo" de tener un embarazo gemelar;

▌ los tratamientos de esterilidad, es decir, el recurso cada vez más frecuente a la procreación asistida; de hecho se implantan más óvulos fecundados para tener mayores posibilidades de éxito. Un componente importante (pero desde luego no el único) para ayudar al correcto crecimiento uterino de los pequeñitos, que les permita en el momento del nacimiento tener un peso óptimo, lo representa el peso que la madre logra tener al final del embarazo. Algunos estudios han evidenciado de manera especial en embarazos gemelares que **el aumento de peso de la madre está estrechamente relacionado con el peso de los futuros bebes:** entre más aumente correctamente de peso la madre los bebes llegarán al final de la gestación con el peso exacto.

¿Cuál es el aumento de peso recomendado?

Para una mujer con un embarazo gemelar es de alrededor de 16 ó 18 kg (hasta los 20 kg todavía está dentro de parámetros normales), mientras que, para una trigémina va de los 18 a los

22 kg (con una tolerancia hasta los 24 kg). Por lo tanto, en un embarazo gemelar debería haber un aumento de peso mayor al que se considera como óptimo en los embarazos de un solo bebé.

Elementos indispensables en el embarazo

En el embarazo la alimentación debe seguir las directrices de una dieta sana y equilibrada que todos nosotros deberíamos de seguir en general, pero procurando no olvidar dar a las necesidades calóricas la debida importancia sin olvidar algunos elementos indispensables como son: hierro, calcio y ácido fólico.

El hierro

Es un elemento importantísimo y absolutamente indispensable para el organismo. Representa uno de los principales componentes de la hemoglobina, proteína que se encuentra en glóbulos rojos y que sirve para transportar el oxígeno a todas las células y, durante el embarazo, a través de la placenta al feto también.
Pero esto no es todo. El hierro está presente también en muchas enzimas involucradas en la producción de energía y en la formación de la mioglobina, enzima encargada del almacenamiento de oxígeno en los músculos.

cuidado con los endulzantes

Para controlar el peso durante el embarazo a menudo se usan endulzantes. En realidad es recomendable usar azúcar, desde luego con moderación, y **es mejor el de caña sin procesar** (no el granulado que podemos encontrar en los cafés, y que es azúcar procesado, sino el de color café oscuro que venden en las tiendas de alimentos naturales) **tiene las mismas calorías ¡pero es más rico en sales minerales! Los endulzantes,** de hecho, a pesar de tener muy pocas calorías o casi ninguna, **hay que suspenderlos durante los nueve meses de gestación,** dado que, no se ha certificado que sean seguros para el feto. Aunque se da por descontado, no está por demás recordar que lo mismo aplica para caramelos y dulces hechos a base de endulzantes: por lo tanto, ¡cuidado con las etiquetas!

durante este delicado momento de la mujer es totalmente fisiológica y no debe ser causa de alarma. **En general, los suplementos se aconsejan cuando el valor de la hemoglobina es igual o está por debajo de 10.5 mg** que, en una mujer que no está embarazada

controles que deben seguirse

Para estar seguros y prevenir el estado efectivo de la anemia, los **análisis de sangre** que hay que hacerse periódicamente son:

1. **el hemocromo:** indica de manera particular la concentración de hemoglobina que tenemos en la sangre;
2. **la sideremia:** indica la concentración de hierro en la sangre;
3. **la ferritina:** indica la cantidad de esta proteína presente sobre todo en las células.
4. **la transferrina:** indica la cantidad de esta proteína que transporta el hierro del intestino a las células.

Por qué (y cuándo) sirve más

Según los LARN (niveles de ingesta de nutrientes recomendados para la población italiana), **la dosis diaria de hierro recomendada para las mujeres en edad fértil es de 18 mg, pero con el embarazo se incrementa a 30 mg.** La mayor parte de esta cantidad pasa de la madre al feto, quien la usará para la formación progresiva de sus propios glóbulos rojos. Aunque es cierto que durante el embarazo se necesita más hierro, esto no quiere decir que sea siempre necesario prescribir suplementos. Es por ello que hay que considerar que una ligera anemia sería un síntoma de una verdadera anemia pero que en este caso es el límite mínimo aceptable. Sólo si la mujer no tiene reservas adecuadas para hacer frente a estas exigencias, entonces sí puede correr el riesgo de tener anemia, en cuyo caso se conoce como sideropénica. Son muchas las señales de alarma: palidez, dificultad de concentración, dolor de cabeza, uñas frágiles…Cuando hay carencias reales, además del consejo de cuidar más la propia alimentación, se prescriben suplementos de hierro. Por lo general la necesidad aparece durante el quinto mes, aunque algunas mamás los necesitan desde el inicio de la gestación.

En dónde se encuentra

En la naturaleza existen dos tipos de hierro alimenticio:

❱ el tipo "eme": el hierro está ligado directamente a la hemoglobina y, por esta razón, es el que se asimila más fácilmente. Se encuentra en los alimentos de origen animal como carne, pescado y la yema del huevo. Cuando hay deficiencia de hierro y se quiere integrar este elemento, a menudo nos limitamos a aumentar el consumo de carne. Sin lugar a dudas es una buena fuente de hierro asimilable, pero también es importante saber que demasiada carne a la larga no es tan

saludable debido a que es rica en grasas saturadas. Por ejemplo, es sorprendente descubrir que hay pescados que tienen más hierro que la misma carne de caballo (vea la tabla de la página 16). El pescado, además de que se digiere mucho más fácil, casi no tiene grasas saturadas, representa un alimento rico en grasas preciosas como los Omega-3, importantísimos para la formación del sistema nervioso del pequeño. Tampoco hay que eliminar totalmente las grasas

COMPARACIÓN ENTRE ALIMENTOS QUE PROPORCIONAN HIERRO					
Pescado/100 g	**Hierro en mg**	**Carne/100 g**	**Hierro en mg**	**Legumbres/100g**	**Hierro en mg**
Corvina	14,4	Caballo	3,9	Frijoles secos	8
Mejillón o mitilo	5,8	Ternera	2,3	Frijoles cannellini	8,8
Mormora o pargo	5,6	Cordero muslo	2,0	Lentejas	8
Cabracho	5,5	Bovino adulto filete	1,9	Soya seca	6.9
Pagello o Besuga	4,3	Cerdo muslo	1,7	Garbanzos secos	6,4
Occhiata u Oblada	4,2	Gallina	1,6	Habas secas sin piel	5
Boga	4,1	Conejo	1	Chícharos secos	4,5
Spigola u Orata	4,1	Pavo muslo	1	Frijoles pintos secos	3
Anchoa	2,8	Pollo	1	Chícharos congelados	2
Atún fresco	1,3				
Pargo	1,2				
Rodaballo	1,2				

Tabla de composición de alimentos, fuente INRAN (Instituto Nazionale di Ricerca per gli Alimenti e la Nutrizione) Instituto Nacional de Investigación en Alimentación y Nutrición, actualizada en 2002.

saturadas, aquellas consideradas dañinas, dado a que ellas también tienen su importancia, pero hay que darle preferencia a una mayor cantidad de grasas de origen vegetal o de pescado;

▶ **el tipo "no eme":** presente en los vegetales. En este caso **el hierro se presenta en forma menos asimilable comparado con el que contienen los productos animales.** Pero no hay que minimizar su contribución porque, aunque ciertamente es menos asimilable, también es cierto que en relación al peso, los vegetales lo tienen en mayor cantidad. Por ejemplo, 50 g de frijoles pintos secos contienen 4.5 mg de hierro contra 1 mg que contienen 50 g de filete de ternera. Además, como veremos, hay combinaciones "interesantes" que pueden aumentar la absorción a partir de estas fuentes. **Entre los alimentos especialmente ricos en hierro tenemos las legumbres, las verduras con hojas verdes como las espinacas,** pero también **los frutos secos** como las nueces y las semillas oleaginosas (ajonjolí, calabaza, amapola, girasol, etc).

Estas últimas pueden usarse como verdaderos integradores naturales: se pueden esparcir en verduras cocidas como zanahorias o hinojos o en ensaladas de verduras crudas como lechuga, col y berro.

Es importante considerar también estas fuentes de naturaleza vegetal que además de contener hierro, representan alimentos con muchas propiedades útiles para la salud de la madre y del niño; por ejemplo, son ricas en sustancias específicas y en tipos

particulares de fibras que ayudan a regular la absorción de grasas y azúcares y a controlar los niveles de colesterol.

Para absorberlo mejor

No siempre se logra absorber completamente el hierro contenido en los diferentes alimentos dado que el mismo alimento puede contener elementos que determinan una menor biodisponibilidad.

Para mejorar la asimilación es necesario seguir algunas indicaciones.

▶ **La vitamina C contenida en frutas y verduras** (cítricos, bayas, kiwi, perejil, arúgula…) **es una magnífica aliada para aumentar la biodisponibilidad,** sobre todo de aquellos alimentos que contienen hierro del tipo no-eme. Estos son algunos ejemplos de combinaciones que aumentan la absorción del hierro contenido en los alimentos mismos: las espinacas se pueden aderezar con jugo de limón o también saltearlas rápidamente en sartén y terminar la comida con una naranja; también se puede servir legumbres; una ensalada mixta con arúgula y berros (ambos ricos en vitamina C) y aderezada con una vinagreta a base de limón.

▶ También **las proteínas animales, más allá del contenido de hierro, ayudan a asimilar este elemento;** de hecho, están formadas por aminoácidos un poco "más ácidos" de los que contienen las proteínas vegetales y, asociadas con alimentos como las legumbres, pueden mejorar la absorción.

Por ejemplo, las ensaladas de frijoles y pescado son muy apetitosas; o después de una sopa a base de lentejas, se puede completar con una pequeña porción de pescado, sin exagerar en las porciones individuales para no aumentar la carga de proteínas, hay que tomar un poco de uno y un poco del otro.

❚ Cuidado con tomar demasiado calcio: **si queremos absorber lo más posible de un alimento rico en hierro, para no obstaculizar la absorción es mejor no asociarlo con otro rico en calcio.**
Por ejemplo, si comemos un bistec y después comemos queso, se absorbe el calcio pero poco hierro. Lo mismo sucede si comemos un pescado rico en hierro y terminamos con un dulce hecho de leche como un helado.

❚ **Hay que tomar té y café separados de las comidas,** por lo menos una hora antes o una hora después de las comidas porque las sustancias contenidas en estas bebidas obstaculizan la absorción del hierro.

El calcio

Otro elemento muy importante en una correcta alimentación es el calcio, fundamental para las mujeres embarazadas.

Su importancia se debe a las funciones fundamentales en que participa: **es esencial en el proceso de mineralización ósea** (los huesos y los dientes contienen el 99% del calcio corporal), **contribuye a la regulación del tono muscular, a la transmisión de los impulsos nerviosos, a la regularización de los latidos cardíacos e interviene en la coagulación de la sangre.**

Por qué es necesario más

Para permitir la formación del esqueleto del futuro niño, **la madre necesita naturalmente una mayor cantidad diaria de calcio, que es de 1,200 mg.** Si esta cantidad no se integra y garantiza adecuadamente, se obtiene de los huesos y de los dientes de la madre perjudicándola.

Aunque el organismo de la madre pone a funcionar una serie de mecanismos para ahorrar calcio, como la reducción de la eliminación a través de la orina, **hay que tener una dieta muy bien balanceada que pueda garantizar la cantidad justa.** De lo contrario, el riesgo es llegar a un debilitamiento de huesos y dientes que, a la larga, si se descuida, podría llevar a la osteoporosis, una enfermedad que se manifiesta después de los 45 años con una progresiva pérdida de masa ósea.

En dónde se encuentra

La leche y sus derivados representan sin lugar a dudas una óptima fuente de calcio con buena biodisponibilidad, pero hay que usarlos con un poco de *grano salis*. De hecho, estos alimentos, en especial los quesos, son ricos en calcio pero también en grasas y proteínas. Por esta razón, es mejor en nuestra dieta comer quesos una o dos veces por semana y elegir derivados ligeros como

el requesón (bajo en grasas), añadir quesos de mesa para condimentar las entradas, o usar los quesos más maduros. En este caso, siendo concentrados con muy poca agua, hay que limitar la dosis con respecto a los quesos frescos.

Pero **también hay otras fuentes de calcio alimentario:** las **legumbres,** en especial los garbanzos y los frijoles secos; **algunas verduras,** como por ejemplo alcachofas, cardos, brócoli, hojas de nabo, chicoria y arúgula; los **pescados,** sobre todo los pequeños, de tal manera que podamos comernos las espinas o prepararlos en sopas; los **frutos secos** (las almendras tienen

249 mg/100 g) y las **semillas de ajonjolí,** que podemos tostar y añadir a ensaladas o usarlas para condimentar verduras cocidas como las zanahorias. **No podemos olvidar el agua porque también tiene una buena biodisponibilidad;** la bicarbonada-ácida puede ser especialmente útil. Es suficiente ver las etiquetas de las botellas y en el rubro del calcio encontrará escrita la cantidad que contiene.

Para absorberlo mejor

Lo que dijimos para el hierro también se aplica para el calcio: no es suficiente que lo contenga el alimento, hay que volverlo biodisponible. Para ayudar a la absorción se necesita:

▶ **el fósforo:** un constituyente del esqueleto que permite al calcio anclarse a los huesos. Lo encontramos en **el pescado y en los frutos secos;**

▶ **el magnesio:** junto con la vitamina D y el fósforo participa en el metabolismo óseo. Lo encontramos en **las legumbres, almendras y verduras de hoja verde;**

▶ **la vitamina D:** fija el calcio y se encuentra en pocos alimentos, entre ellos **pescados grasosos como el bacalao, el salmón, la sarda, el atún, las anchoas, pero también en los huevos y la leche.** Les recordamos que

la vitamina D

La vitamina D **es producida por el organismo humano a partir de la piel, que expuesta al sol produce una sustancia que los riñones transforman y es absorbida por el intestino en forma de vitamina D.** Por tal motivo a los ancianos, cuya producción de vitamina D tiende a reducirse, se les insiste en que **se expongan más al sol evitando desde luego las horas más calientes.** También para niños y adultos es importante exponerse al sol: de esta forma el organismo puede producir vitamina D sin necesidad de obtenerla a través de los alimentos. De hecho, hubo una época en que para prevenir el raquitismo se daba aceite de hígado de bacalao, una fuente riquísima en vitamina D.

de todas formas el organismo humano puede producir vitamina D sólo con exponerse a los rayos solares.

El ácido fólico

Todas las vitaminas son indispensables para el correcto funcionamiento del organismo, en cuanto a que cumplen numerosas funciones y permiten a cada órgano desarrollar correctamente su trabajo. No es menos importante **la vitamina B9, mejor conocida como ácido fólico.**

Las vitaminas del grupo B las produce el organismo en pequeñísimas cantidades y se obtienen a través de los alimentos. Con una dieta equilibrada y bien balanceada se satisfacen las necesidades vitamínicas en condiciones normales,

pero en los **nueve meses de gestación la necesidad de ácido fólico aumenta porque una parte de las reservas maternas las utiliza el feto.**

Su importancia para la madre y el feto

Para ser más precisos, veamos específicamente la función que desarrolla el ácido fólico en la madre y el feto durante los nueve meses de embarazo.

En este momento tan delicado para la mujer, como es el embarazo, una molestia frecuente es la anemia, es decir, una condición en la que el número de glóbulos rojos (eritrocitos) y la hemoglobina se reducen comparados con los valores estándar.

Todo esto puede agravarse por una carencia de ácido fólico, dado a que participa directamente en la formación

de la hemoglobina y en la asimilación del hierro, componente esencial de los mismos glóbulos rojos.

La vitamina B9 **desarrolla además un papel de protección:** durante el embarazo las células del organismo materno llevan a cabo un mayor trabajo dado a que participan en el desarrollo celular del feto y **una de las funciones de la B9 es exactamente la del crecimiento y la multiplicación celular.** Sin olvidar que además **es esencial para la síntesis del ADN** (la molécula que constituye los genes), interviniendo en la transmisión de las características hereditarias (desde el color de los ojos, el tipo de pelo, etc.). Pero también interviene en la producción de los aminoácidos, los que están en la base de las proteínas, a través de los cuales se construye la estructura hasta en la parte más pequeña del cuerpo y en la formación de la mielina, material que forma la vaina de protección de los nervios, garantizando de esta forma la perfecta transmisión de las señales neurológicas.

las funciones del ácido fólico

Para entender mejor la importancia de esta vitamina tenemos que subrayar el papel que tiene el ácido fólico (o folato) en el mantenimiento de la buena salud del organismo:

▶ **contribuye en la construcción de las células:** es esencial para la síntesis del ADN (sede de la información genética) y de las proteínas, por lo tanto, especialmente importante para el crecimiento y la diferenciación de los tejidos embrionarios;

▶ **participa en la formación de la hemoglobina:** cuando la cantidad de ácido fólico es escasa, aumentan las posibilidades de que surja una forma específica de anemia conocida como "megaloblástica";

▶ **reduce los niveles de un aminoácido particular, la homocisteina,** que estudios recientes muestran que parece estar involucrada en el riesgo de enfermedades cardiovasculares como el infarto.

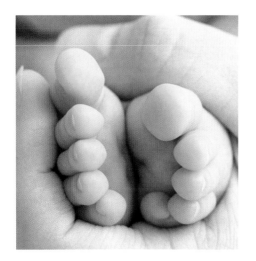

En el feto es necesario el ácido fólico sobre todo para prevenir enfermedades muy graves que pueden llevar hasta a malformaciones. Las más graves las constituyen los defectos del tubo neural (DTN), una parte del feto de la que se generan la columna vertebral, el cerebro y el cráneo. Si el tubo neural no se cierra correctamente durante las primeras semanas de gestación, el futuro bebé tendrá graves malformaciones congénitas como espina bífida y anencefálica.

la espina bífida y la anencefalia

La espina **bífida es la malformación más frecuente** y se debe al cierre incompleto de la parte inferior del tubo neural. En los casos más graves la médula espinal se sale un par de centímetros de la columna vertebral provocando una lesión en los nervios o su exposición a posibles infecciones. Esta malformación **trae consigo discapacidad tanto física como mental:** parálisis de las extremidades inferiores, dificultad de aprendizaje, retraso mental y, en los casos menos graves, incontinencia urinaria y fecal.

En el caso de la **anencefalia** la parte superior del tubo neural se cierra de manera incorrecta y **determina un desarrollo del cerebro incompleto o puede hasta impedirlo.** En los fetos con anencefalia el índice de mortalidad, antes de nacer, es muy alto; en cambio los que tienen espina bífida llegan a la edad adulta en el 85% de los casos.

Por qué es necesario más

Si la dosis diaria aconsejada de ácido fólico para una mujer que no está embarazada es de aproximadamente 200 mcg, **durante la gestación la necesidad se duplica hasta llegar a 400 mcg.** Durante la gestación, de hecho, se necesitan más células para construir los tejidos del feto. Tenemos que subrayar que la necesidad de ácido fólico para prevenir importantes malformaciones es de suma importancia desde los primeros días de la fecundación del óvulo, apenas se forma el zigoto (célula fecundada por el espermatozoide).Por eso los ginecólogos aconsejamos cuidar con mayor atención aún las elecciones alimentarias, tratando de incluir en la dieta la mayor cantidad posible de alimentos que contengan vitamina B9 (vea tabla) y consumir ácido fólico como suplemento. **Se aconseja empezar a tomarlo al menos un mes antes y durante todo el primer trimestre del embarazo, desde luego bajo estricto control médico.**

En dónde se encuentra

El ácido fólico **se encuentra en la naturaleza en muchos alimentos, sobre todo de origen vegetal, como en las hojas de color verde obscuro de las espinacas, de los brócolis, de la lechuga** (la palabra "fólico" se deriva del

Junto con el ácido fólico desarrolla un importante papel antianémico, en cuanto que también contribuye a la formación de los glóbulos rojos y del ADN. En forma especial, la vitamina B12 es esencial también en los procesos de aumento celular y en el control del sistema nervioso. Por ello nunca debe faltar en la alimentación de adultos y niños, y especialmente en la de una mujer embarazada. La vitamina B12 se puede encontrar en muchos alimentos de origen animal como carne, huevos y pescado.

latín "folium", hoja); grandes cantidades de folatos están presentes **también en legumbres, cereales, fruta** (kiwi, fresas, limones, naranjas, etc) y **en las vísceras de los animales** (hígado y subproductos…). Sin embargo, lo ideal sería que estos alimentos, por los menos las verduras, se consumieran crudos, dado que la vitamina B9 es muy sensible al calor.

CONTENIDO DE ÁCIDO FÓLICO EN ALGUNOS ALIMENTOS (MCG/100G)			
Alimento	Ácido Fólico	Alimento	Ácido fólico
Pollo (higaditos)	995	Espárragos silvestres y cultivados	175
Pollo (menudencias)	530	Germen de soya	172
Germen de grano	331	Hojas de nabo	163
Bovino (hígado)	330	Endivia, escarola	156
Bistec de soya	305	Espinacas	150
Cerdo (hígado)	295	Habas secas	145
Salvado de grano	260	Granola	140
Hojuelas de maíz	250	Frijoles secos	130
Arroz inflado	250	Huevos de gallina (yema)	130
Espárragos de bosque	218	Acelga	130
Brócoli rape	194	Cacahuates	110
Garbanzo seco (harina)	180		

Desgraciadamente durante el embarazo, sobre todo aquellas madres que tienen un resultado negativo en el análisis de toxoplasmosis (vea página 40), comen más verduras cocidas. Además, también las verduras, si están mal conservadas y expuestas al sol, pierden su contenido de folatos. Por lo tanto, es recomendable **comer verduras frescas, bien conservadas o cocidas rápidamente** y otros alimentos que sean una buena fuente de ácido fólico, como las legumbres y germinados.

Las molestias
del EMBARAZO

EL ESPERAR A UN HIJO ES UN MOMENTO ÚNICO Y MARAVILLOSO PARA UNA MUJER. SIN EMBARGO, PUEDEN SURGIR PEQUEÑAS MOLESTIAS, A MENUDO TEMPORALES, QUE DE TODAS FORMAS SE RESUELVEN CON ALGUNOS CUIDADOS.

Desde las más frecuentes y más leves, como las nauseas y el vómito, hasta los preocupantes como la toxoplasmosis y la diabetes, hay que reconocer las molestias que acompañan los meses del embarazo para prevenirlas y vivir esta experiencia única con la menor incomodidad posible.

La diabetes de embarazo

Este malestar afecta a mujeres que no eran diabéticas antes del embarazo. No hay de que alarmarse cuando se descubre. **Generalmente el problema se resuelve después del parto,** pero hay que seguir comportamientos adecuados para no comprometer el proceso de la gestación.

Por qué aparece la diabetes

Para poder comprender mejor cómo comienza la enfermedad hay que entender las modificaciones metabólicas que se llevan a cabo en la madre durante este periodo.
A partir de la décima semana la placenta empieza a producir una hormona que bloquea la acción de la insulina. Se trata de la hormona HPL o lactógena placentaria, y tiene la capacidad de impedir a la glucosa entrar a las células y, por lo tanto, de que éstas la utilicen. La consecuencia es la de tener glucosa acumulada en la sangre materna y, por lo tanto, sufrir un incremento de la glicemia. En un embarazo normal todo esto se evita porque el páncreas

la insulina

Cuando comemos carbohidratos, por ejemplo arroz o pasta, se libera fundamentalmente un azúcar, la glucosa, para crear energía en el torrente sanguíneo. **Gracias a la insulina, la glucosa entra en las células:** ellas solas no podrían tomar el azúcar de la sangre y llevarlo a su interior para convertirlo en energía y, por lo tanto, en nutrimento; necesita que la insulina se los entregue. **Entre más azúcar comemos más insulina necesitamos** (porque al haber más azúcares, se necesitan más medios de "transportación", como es la insulina, para llevar el azúcar al interior de las células).
Si el páncreas, productor de esta hormona, no secreta suficiente insulina se determina una condición patológica llamada diabetes.

(glándula encargada de la producción de insulina) reacciona ante la nueva situación, aumentando la secreción de insulina y restableciendo el nivel glucídico. Pero puede suceder que **en algunos casos el páncreas de la madre no logre hacer frente a las nuevas exigencias de insulina y entonces estaremos frente a una forma de diabetes en el embarazo,** exactamente porque tiene lugar sólo durante la gestación y está destinada a desaparecer con el parto en la mayoría de los casos.

Las complicaciones para la madre y el feto

Si no se controla adecuadamente la diabetes gestacional, se puede desencadenar una serie de complicaciones de diferente gravedad, tanto para la madre como para el feto. **Por lo que se refiere a la madre, en la mayoría de los casos la diabetes gestacional se controla con dieta,** estudiada *ad hoc* por un especialista; rara vez se debe recurrir a terapias médicas con uso de insulina. El riesgo de este tipo de diabetes es bajo o menos frecuente, aunque siempre se recomiendan controles médicos periódicos.
El riesgo mayor para el feto es la

macrosomía (un peso al nacer superior a los 4 kilos) **porque absorbe la glucosa excedente que circula en la sangre materna a través de la placenta.** El feto tiene a disposición muchos nutrimentos y, como su páncreas funciona bien (a diferencia del materno), aumentará la producción de insulina. Ésta comenzará a transportar azúcar al interior de las células del feto, causando una nutrición y crecimiento excesivos.

ALIMENTOS QUE HAY QUE EVITAR:

▶ azúcar, miel, productos dulces con alto contenido en azúcares y grasas (galletas, botanas, tente en pies, helados, pan dulce)

▶ *entradas con condimentos muy grasosos: lasañas, canelones, arroz con crema*

▶ frutos secos y frescos: dátiles, mandarinas, aguacate, plátano, fruta en almíbar, uva, higos, kaki o pérsimo

ALIMENTOS ACONSEJADOS:

▶ entradas sencillas: pasta y arroz, de preferencia integrales, sin exagerar en las cantidades, combinados, por ejemplo, con pequeñas cantidades de carne o pescado

▶ *más pescado que carne, eligiendo los que tengan menos grasas: por ejemplo, lenguado, bacalao, mero, dorado, lubina*

▶ bebidas no azucaradas

▶ *mucha verdura, sobre todo la que es rica en fibras como las espinacas, acelgas, alcachofas, brócoli...que contribuyen a modular la absorción de los azúcares y las grasas*

Cómo comportarse

Cuando se diagnostica diabetes gestacional hay que adoptar comportamientos adecuados en la mesa, siguiendo una dieta que pueda aportar la nutrición adecuada tanto a la madre como al bebé sin que se eleven los niveles de azúcares en la sangre. Muchos piensan que la alimentación ideal en estos casos es muy restrictiva y de privaciones; en realidad existen una gran variedad de alimentos que pueden enriquecer la dieta aunque hay algunos cuyo consumo tiene que ser limitado y controlado (por ejemplo dulces ricos en grasas y azúcares).

Hay que prestar especial atención al consumo de carbohidratos y, sobre todo, a su calidad. **Hay que preferir** **aquellos con un índice glicérico bajo** (es decir que liberan en la sangre poco a poco el azúcar que contienen, de forma tal que no necesitemos grandes cantidades de insulina), en especial si

ardor o inflamación de estómago

El ardor y la inflamación del estómago son molestias que se presentan con mayor frecuencia al final del embarazo y **se deben principalmente a los empujones del bebé hacia el estómago y a la acción inducida por la progesterona.** Esta última, de hecho, disminuye el tono de las fibras musculares del estómago y los movimientos del sistema digestivo. Una de las consecuencias de estas transformaciones es exactamente el reflujo de los jugos gástricos hacia el esófago con el consiguiente ardor.

está asociada a verduras fibrosas. Como ejemplo podemos citar la pasta integral con hojas de nabos, la pasta con pescado con una ensalada de hortalizas verdes… Cuando surge este problema hay que visitar a un especialista que evalúe la condición de manera individual y así pueda dar los consejos más indicados.

En estos casos es **fundamental también una actividad física regular y moderada:** es suficiente una caminata diaria con paso sostenido de por lo menos 40 minutos. De hecho, moviéndose se quema el exceso de azúcares y así se mantienen bajos los valores de la glicemia y el peso corporal dentro de los límites adecuados.

Si una dieta correcta y una constante actividad física no fuesen suficientes, se necesitará usar insulina; su uso terminará al final de la gestación.

Nauseas y vómito

Durante el inicio de la gestación el organismo de la madre se enfrenta a diferentes cambios e inconvenientes. Entre los primeros están la nausea y el vómito. **La nausea es la molestia más popular;** son muchas las mujeres que la sufren sobre todo si es su primer embarazo. Se manifiesta a partir de la quinta ó sexta semana para después desaparecer entre la 14ª ó 16ª, cuando los síntomas se presentan principalmente en las mañanas.

Las causas

Este malestar puede estar basado en causas muy diversas entre sí. Les presentamos las más frecuentes:

▶ **la presencia de más hormonas:** en las primeras semanas se lleva a cabo un incremento de algunas hormonas como son la progesterona, los estrógenos y, sobre todo, las "hormonas del embarazo", es decir, la gonadotropina coriónica. Son exactamente estos mediadores los que actúan en el centro de la nausea localizado en el hipotálamo;

▶ **el intestino perezoso:** la motilidad intestinal disminuye siempre por acción

la nausea al final del embarazo

Aunque es un malestar característico del primer trimestre, **la misma molestia puede volver a presentarse en el noveno mes.** Pero las causas esta vez tienen un origen diferente. **El útero en este periodo tiene dimensiones muy grandes y, por lo tanto, hace presión en el diafragma** (músculo que se encuentra entre el abdomen y el tórax) **que a su vez oprime el estómago.** Por lo tanto, es muy fácil que haya regurgitaciones, digestión lenta y difícil, sensación de saciedad precoz, todos éstos elementos que favorecen el surgimiento de la nausea.

hormonal (aumenta la progesterona, vea a continuación). Dicha condición causa estreñimiento y formación de gases y, cuando el intestino está lleno, puede disminuir el estímulo del hambre y los alimentos que antes gustaban ahora se perciben como nauseabundos;

▶ **los olores:** siguen siendo las hormonas las que mandan. De hecho, parece que actúan sobre el centro del cerebro (rinoencéfalo) que es el que controla la percepción de los olores. A su vez el rinoencéfalo está conectado con los centros que controlan la nausea y el vómito. Así se explica porque los olores que antes del embarazo no molestaban y hasta eran agradables, ahora se convierten en algo intolerable que puede incluso causar una sensación de nausea;

▶ **el ansia:** si se vive con mucha ansia la época del embarazo, se puede interiorizar tanto que se manifiesta con crisis de nausea y vómito.

Pequeños cuidados para sentirse mejor

Les presentamos algunos cuidados que ayudarán a superar esas engorrosas sensaciones:

▶ **comer poco, pero con frecuencia:** la nausea se acentúa si el estómago está vacío y si los niveles de azúcar en la sangre están bajos. Esto explica cómo es que la nausea es más frecuente en las mañanas que en otros momentos del día;

‣ **moverse:** si permanecemos sin movernos y sentados largo rato, comprimimos el estómago y la nausea aumenta; un sencillo paseo y, si se tiene la posibilidad, algo de natación un par de veces a la semana puede disminuir las tensiones y favorecer la digestión;

‣ **escoger alimentos secos y salados:** las galletas saladas, obleas de arroz o de maíz, palillos de pan, pan tostado se pueden convertir en algo muy útil para contrarrestar la nausea, dado que contribuyen a absorber el exceso de jugos gástricos;

‣ **levantarse lentamente:** en la mañana, cuando la nausea es más frecuente, hay que sentarse con calma en la cama y esperar unos minutos antes de levantarse. De hecho, los movimientos repentinos favorecen el comienzo del malestar;

‣ **cuidado en la cocina:** en algunos casos preparar la comida puede desencadenar la nausea. Exactamente por los cambios hormonales, algunos olores que antes no molestaban ahora son insoportables. Por eso, cuando sea posible se aconseja comer comida cruda o fría que no emana demasiados olores, como ensalada de arroz y pasta;

‣ **evitar beber:** durante la crisis es mejor

no beber porque los líquidos favorecen la nausea. Cuando termina la crisis (después de por lo menos dos horas) es bueno aprovechar el momento e ingerir líquidos, evitando bebidas endulzadas o demasiado calientes o gasificadas que pueden aumentar la molestia.

Estreñimiento

Una molestia común en muchas mujeres durante el embarazo (una de cada dos) es el estreñimiento o estiptiquez, una disminución de la funciones intestinales, que puede aparecer aunque antes de la concepción se haya tenido una regularidad diaria.

Es el mismo embarazo, con todos sus cambios hormonales y mecánicos, el que favorece a la disminución de los movimientos peristálticos intestinales (contracciones del intestino que alejan la materia fecal).

Generalmente, se habla de estreñimiento cuando la evacuación es menos de 3 veces por semana. Durante el embarazo los cambios intestinales son un fenómeno natural que involucra diversos factores:

▶ **acción hormonal:** a este cambio contribuyen diferentes hormonas, pero en especial una, la progesterona. Esta hormona, producida por la placenta, tiene como objetivo relajar toda la musculatura lisa y, por lo tanto, evitar contracciones prematuras del útero

que podrían ser peligrosas durante los meses del embarazo. El intestino, dado que está constituido por músculos, también sufre la acción relajadora de la progesterona, disminuyendo las contracciones y haciendo las evacuaciones más difíciles;

▶ **factores mecánicos:** conforme aumentan de tamaño el útero y el peso del bebé, el intestino se va oprimiendo cada vez más y su motilidad se ve comprometida o disminuida. El estreñimiento puede durar todo el embarazo, pero empeora durante el último trimestre exactamente por estos dos últimos factores;

▶ **la falta de movimiento, favorecido por la "panzota",** puede ayudar al

empeoramiento del estreñimiento, pero una simple caminata puede en muchos casos ayudar a acelerar la motilidad.

Sugerencias para evitar la molestia
Sin lugar a dudas las transformaciones

laxantes, ¿por qué no usarlos durante el embarazo?

Si en general el uso de laxantes tiene que hacerse con moderación, este consejo se da aún más en el embarazo. De este tipo de remedios hay que evitar:

▶ **laxantes de contacto** (compuestos tóxicos que estimulan fuertemente los movimientos peristálticos intestinales como muchas preparaciones a base de sen, ruibarbo, aloe), **ya que dañan la mucosa intestinal y alteran el equilibrio hidro-electrolítico** sobre todo durante la gestación;

▶ **laxantes oleaginosos:** ejemplos de éstos son el aceite de vaselina y la parafina, que **obstaculizan la absorción de vitaminas liposolubles** (A-D-E-K), esenciales durante el embarazo;

▶ **laxantes estimulantes,** que aumentan la motilidad intestinal pero que pueden **dañar la mucosa**

intestinal y acumular preciosas sales minerales en el colon que se perderán con las heces. Si fuera necesario, pero siempre bajo estricto control del ginecólogo, **se pueden usar los laxantes de masa,** hechos a base de mucílago vegetal (semillas de lino o de psyllium), que al entrar en contacto con mucha agua se inflan y favorecen la evacuación. Se pueden **usar ocasionalmente,** pero siempre con la aprobación médica, los **laxantes a base de lactulosa,** azúcar que no se absorbe a nivel intestinal y que favorece los movimientos intestinales aumentando la masa fecal.

a las que se enfrenta la mujer durante el embarazo ponen en riesgo el funcionamiento regular del intestino, pero un estilo de vida correcto que incluya movimiento y una adecuada selección de alimentos, puede aligerar el problema. Veamos algunos cuidados dietéticos que pueden ayudar:

▶ **beber mucha agua:** es una de las primeras reglas para evitar el estreñimiento. Beber mucho, de hecho, hace que las heces se suavicen, facilitando su tránsito a través del intestino, además del típico vaso de agua **ésta puede ingerirse a través de cremas y sopas,** y también a través de infusiones o de verduras que se sabe son ricas en agua como los jitomates, hinojos, calabacitas, etc.;

▶ **tener una dieta rica en fibra:** desde los primeros meses del embarazo hay que elegir alimentos integrales, como pan y pastas integrales (sin exagerar porque tienden a sustraer más agua). Además, nunca debería faltar la fruta y, sobre todo, la verdura. La fruta es importante por su alto contenido de elementos como **sales minerales y vitaminas,** pero las cantidades deben ser moderadas ya que también es rica en azúcares que favorecen el aumento de peso: se aconsejan 2 ó 3 frutas al día. Entre las verduras lo mejor es elegir las más fibrosas como espinacas, alcachofas, lechuga, acelgas, etc.;

▶ **moderar el consumo de sal:** hay que tener cuidado y no poner demasiada sal en los alimentos y, sobre todo, evitar

las hemorroides

Un inconveniente ligado al estreñimiento, muy frecuente en el embrazo, lo representan las hemorroides, **"cojinetes" ricos en vasos sanguíneos que se localizan en la zona del ano.** Heces muy duras y que se empujan demasiado fuerte durante la evacuación pueden irritar esta zona hasta hacerlos aumentar de tamaño y prolapsarse (salirse). Cuando existe esta molestia a veces las heces se presentan acompañadas de trazas de sangre, porque lo capilares de las hemorroides se rompen y provocan pequeñas pérdidas de sangre. **El fenómeno se acentúa también en el momento del parto,** cuando la cabeza del bebé empuja aumentando considerablemente la presión ejercida en esa zona.

el consumo de alimentos muy salados como los enlatados por la industria alimentaria y las botanas saladas. La sal retiene el agua haciendo que las heces sean duras, compactas y difíciles de eliminar;

◗ **aderezar con aceite:** las grasas presentes en el aceite ayudan a suavizar y hacer que las heces se "deslicen";

desde luego hay que usarlo sin exageración para evitar un aumento excesivo de peso.

Pelo, antes y después del parto

Desde los primeros meses del embarazo se observa en las futuras mamás que su cabellera se hace más espesa y el pelo es visiblemente más luminoso y vital. En esta época la caída del cabello disminuye por lo que la cabellera se hace más tupida y con más cuerpo. Esto se debe a que durante los nueve meses de la gestación aumenta la nutrición en la base del pelo pues se intensifica la irrigación de todos los tejidos, incluyendo los del cuero cabelludo. Con el parto, sin embargo, empieza la inexorable caída del pelo, provocando preocupación en las nuevas mamás. También en este caso es "culpa de las hormonas" y las involucradas con la prostaciclina y los estrógenos. La primera es producida por la placenta y actúa a nivel de los vasos sanguíneos que, al aumentar la irrigación de los tejidos y, por lo tanto, del cuero cabelludo, favorecen el crecimiento, mientras que las segundas estimulan el aumento de los folículos pilosos. Naturalmente **después del parto** la placenta se expulsa y falta la prostaciclina. **El primero en sufrir esta falta siempre es el pelo que empieza a caerse.**

Este fenómeno no debe causar preocupación cuando se están cayendo los cabellos que tenían que caerse durante el embarazo (y que en cambio se les estimuló para que crecieran). Este fenómeno dura poco tiempo después del nacimiento, **después todo vuelve a la normalidad y la cabellera que se tenía antes del parto vuelve de nuevo.**

Cuidado con las infecciones: la toxoplasmosis

Se trata de una enfermedad infecciosa y contagiosa debida a un microorganismo, el Toxoplasma gondii, que puede infectar a muchísimos animales (desde mamíferos hasta pájaros, desde reptiles hasta moluscos) y que se encuentra en la carne, en las heces del gato y en el lugar donde haya defecado un animal infectado.

Contagio de la madre y del feto

El contagio puede darse de diferentes maneras:

▶ **el del feto:** por el paso del microorganismo a través de la placenta, si la madre contrajo la enfermedad y se encuentra en la fase aguda;

▶ **el de la madre:** a través de la alimentación, en especial si come carne poco cocida, si manipula tierra, de huertos y jardines donde pueden haber defecado animales infectados

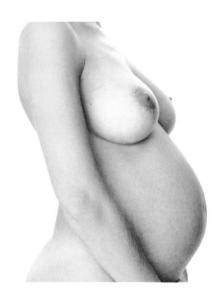

o por comer hortalizas y frutas frescas provenientes de estos terrenos y que no hayan sido lavadas con cuidado.

Los síntomas

En general, **en condiciones normales, la toxoplasmosis no es peligrosa,** tanto es así que en la mayoría de los casos ni se dan cuenta de tener la infección; en raras ocasiones puede dar lugar a un malestar generalizado, fiebre, aumento del tamaño de los linfonódulos del cuello y dolor de garganta. **Todo se complica si la infección se contrae durante el embarazo. La patología, de hecho, puede provocar daños muy serios al feto. La gravedad depende del periodo de gestación** en que se contrae la enfermedad:

❱ **primer mes:** en este periodo las posibilidades de contagio son nulas en cuanto que el microorganismo no puede penetrar al interior del óvulo;

❱ **segundo/tercer mes:** ésta es una etapa de desarrollo crítica, porque si el toxoplasma logra alcanzar al feto se pueden generar malformaciones;

❱ **quinto/sexto mes:** el contagio puede provocar daños cerebrales;

❱ **3er trimestre:** las posibilidades de riesgo son mínimas pero en caso de infección las molestias son muy graves y se puede llegar a perder el feto.

La prevención

Cuando se espera un bebé o se tiene intención de tener uno, antes que nada hay que saber si se contrajo esta enfermedad y, por lo tanto, si se es autoinmune. Para saberlo se hace un análisis específico: el toxoanálisis, que es un simple análisis de sangre. Si resulta negativo, es decir, nunca se tuvo contacto con el parásito, hay que seguir reglas preventivas escrupulosas.

▶ **no coma embutidos, salamis y carne, ya sea crudos o poco cocidos ni huevos crudos.**

▶ **lave cuidadosamente tanto fruta como verdura.** Si come en un restaurante sólo coma verdura cocida, retire la piel de la fruta y tenga cuidado con las ensaladas de frutas.

▶ **use siempre guantes cuando se hacen trabajos en el jardín,** porque el terreno podría tener el parásito.

▶ **evite limpiar la cama de arena del gato** (otro animal cuyo excremento podría estar contaminado); si lo puede hacer alguien más es mejor, de lo contrario es imprescindible usar guantes. En los últimos años ha cambiado la atención que se daba a los gatos como portadores de la enfermedad, especialmente a los gatos domésticos alimentados con productos enlatados y cuya cama se cambia todos los días (los quistes del parásito se abren después de 3 días a temperatura ambiente y alta humedad).

▶ **el verdadero peligro lo representan los gatos callejeros** que se infectan cazando pájaros o ratones contaminados y que pueden defecar en el terreno dejando toxoplasma durante varias semanas.

Lactancia

LA LACTANCIA NO ES SÓLO UN ACTO DE NUTRIR, ES ALGO MÁS QUE AYUDA A MANTENER EN FORMA A LA MADRE Y A CUIDAR LA SALUD DEL PEQUEÑO.

Cuando el niño nace termina la relación de nutrición directa que aseguraba el cordón umbilical. De ahora en adelante, para alimentarse tendrá que hacer un esfuerzo y así ingerir los nutrientes que tienen que satisfacer sus necesidades de energía. En este capítulo enfrentamos este paso crucial, hablaremos tanto de amamantar, un experiencia de casi 4 millones de años de antigüedad, como de la lactancia artificial, con sus ventajas y también con algunas limitantes.

La lactancia natural

El primer paso para una alimentación sana y equilibrada, desde los primeros días de vida, lo representa la lactancia: la

haber una buena integración de alimentos que contengan elementos importantes como son el hierro y el calcio.
En la actualidad las indicaciones dietéticas están centradas en un mayor control calórico y se basan en una alimentación variada, de tal forma que pueda satisfacer el gasto por la producción de leche, garantizando esa cuota extra de nutrientes que necesita una mujer que está amamantando.

leche materna es indispensable para nutrir al pequeño y sirve para poner las bases de una óptima salud también para cuando sea mayor.

La dieta para la mamá que amamanta
Durante el amamantamiento es fundamental una correcta y bien equilibrada alimentación dado a que garantiza una buena composición de la leche materna y asegura las necesidades nutricionales de la nueva mamá. **Si por un lado hay que evitar la sobrealimentación (como se creía hace tiempo), por el otro tiene que**

500 KCAL CORRESPONDEN A:		
60 g de arroz + 50 g de parmesano + 1 cucharadita de aceite de oliva extravirgen		
200 kcal 200kcal 100 kcal		
Alrededor de 180 g de pizza margarita		
200 g de papas + 130 g de filete de salmón + 1 cucharadita de aceite de oliva extravirgen		
170 kcal 185 kcal 100 kcal		
100 g de queso mozzarella + 50 g de bolillo + 1 cucharadita de aceite de oliva extra virgen		
253 kcal 135 kcal 100 kcal		

La necesidad calórica correcta

Empecemos evaluando como cambia y a qué valores llega la necesidad calórica de una nueva mamá. Esto depende en primer lugar de la cantidad de leche que se produce, por lo que no se puede establecer a priori el excedente calórico que deba agregarse y que sea válido para todos los casos. Si se considera que por cada 100 g de leche materna producida se gastan 87 kcal, una mamá que produce 800 g de leche al día tendría que aumentar su propia cuota calórica diaria a casi 700 kcal. Éste es el cálculo que teóricamente permite mantener el peso corporal; pero si hay que deshacerse de la grasa que se acumuló durante el embarazo, se tendrían que restar 150 kcal de la cifra calculada, de forma tal que se haga mella sobre las grasas endógenas (o sea, los depósitos de tejido adiposo)

y vuelva a su propio peso y forma. Entonces, basados en estas premisas, para lograr bajar un promedio de medio kg al mes y al mismo tiempo garantizar las necesidades calóricas de la madre y del niño, **las calorías que deben integrar la dieta diaria tendrán que ser alrededor de 500 al día.**
Muchas mamás nuevas frente a estos números podrían asustarse, dado que 500 kcal parecen muchas, en realidad **50 g de queso parmesano o 60 g de pasta son más que suficientes** (como se ve en la tabla) **para satisfacer estas exigencias calóricas.** Pero es importante no adoptar regimenes alimentarios demasiado restrictivos con respecto a la cantidad calórica diaria aconsejada porque durante el amamantamiento pueden determinar una reducción del volumen de la leche producida.

Una investigación llevada a cabo en los Estados Unidos en niños cuyas mamás se nutrieron con mucho pescado (rico en Omega-3, anchoas, atún, caballa…) durante el embarazo y lactancia **mostró un desarrollo más rápido del cerebro comparado con niños cuyas mamás comieron menor cantidad de este tipo de alimentos:** a los seis meses de edad los primeros recordaban y distinguían imágenes que se les mostraron mucho mejor que los segundos.

48

Con mayor razón, en un período tan delicado como éste, **se tendrá que poner más atención a las grasas de origen vegetal, respecto a las derivadas de manteca, de la mantequilla y de las grasas animales.** También el pescado representa una fuente óptima de grasas "buenas" porque puede dar una adecuada integración de ácidos grasos Omega-3, importantes para el desarrollo de las funciones nerviosas del cerebro del pequeño. El componente proteínico en cambio no tiene gran influencia en la calidad, pero si en la cantidad de leche. Por este motivo, **para tener una leche**

Grasas y proteínas: ¿cuál escoger?
Durante la lactancia el tipo de grasas introducidas en la dieta influyen mucho en la calidad de la leche materna: los aceites vegetales, como el de oliva, maíz y girasol representan una preciosa fuente de ácidos grasos esenciales, el ácido alfa linolénico y ácido linoleico. Se les define como esenciales exactamente para indicar que estos tipos de "grasas" deben ser introducidas necesariamente a la dieta, dado que nuestro organismo no puede sintetizarlas.

con una buena cantidad proteínica se necesita aumentar ligeramente la cuota proteínica en la dieta de la mamá: alrededor de 15 a 17 g más que de la mujer que no amamanta (vea tabla).

Los alimentos que no son adecuados durante el amamantamiento

Ya subrayamos que la dieta para una mujer que amamanta tiene que ser lo más variada y equilibrada posible. Pero tal vez no todos saben que existen **algunos alimentos como la coliflor, el ajo, los espárragos, la cebolla, las alcachofas…, más aceptables desde el punto de vista nutricional, que hay que evitar debido a que le dan un sabor particular a la leche,** que puede resultar desagradable para el bebé. Además, hay una categoría de alimentos, por ejemplo el vinagre, las carnes frías, las conservas, los quesos fuertes, las especias, el café, el chocolate…que pueden provocar problemas digestivos y gases intestinales al recién nacido si se comen con frecuencia y en grandes cantidades. También **el alcohol hay que tomarlo con prudencia** porque pasa rápidamente a la leche. Por dicho motivo, el vino o la cerveza hay que beberlos inmediatamente después de amamantar de forma tal que el alcohol lo metabolice la madre antes que

éste llegue a la leche y por lo tanto al pequeño. Es inútil decir que las bebidas con alto contenido alcohólico están prohibidas.

HAY 17 G DE PROTEÍNA EN
100 g de mero
70 g de frijoles secos
75 g de lentejas secas
80 g de almendras
100 g de bacalao
100 g de queso mozzarella
80 g de dorado
55 g de piñones
200 g de requesón
100 g de caballa

ALIMENTOS QUE HAY QUE EVITAR	ALIMENTOS QUE PUEDEN COMERSE PERO CON MODERACIÓN
Ajo	*Vinagre*
Bebidas alcohólicas	*Cerveza*
Espárragos	*Café*
Coliflor	*Alimentos conservados*
Alcachofas	*Crustáceos*
Cebollas	*Quesos fermentados*
Hongos	*Fresas*
Legumbres poco cocidas	*Frituras*
Margarina	*Carnes frías*
Mejillones	*Especias*
Papas enverdecidas	*Té*
Nabos	*Vino*

La leche materna

Este primer nutrimento tiene la extraordinaria cualidad de variar su propia composición en relación a las necesidades del pequeño y cambia de mujer a mujer. También la composición se modifica con el tiempo y antes de convertirse en leche verdadera y propia pasa por dos importante cambios:

▶ **el calostro** representa el primer nutrimento para el pequeño y aparece como un líquido cremoso de color amarillento que poco a poco se aclara para hacerse más fluido y trasparente. Su tarea es la de satisfacer diversas exigencias en particular la nutritiva y la inmunológica.

Por su riqueza en proteínas y sales minerales se absorbe fácilmente y por la presencia de anticuerpos (moléculas capaces de defender al pequeño contra agentes extraños) protege las paredes del intestino del recién nacido de microorganismos patógenos.

La cantidad de calostro producido varía de 7 a 120 ml y esto depende subjetivamente de la cantidad que puedan secretar las glándulas mamarias de la madre.

▶ **la leche de transición,** leche destinada a cambiar otra vez y que sirve para acostumbrar al pequeño a la verdadera leche. Esto es lo que se define como "cuando baja la leche": los senos se hinchan, se ponen calientes y a menudo duelen. Este evento se presenta entre el 3er y 5o día y desde este momento empieza a producirse suficiente leche para las necesidades del recién nacido.

▶ **la leche definitiva,** la leche verdadera empieza a producirse a partir de la segunda semana después del parto. Su consistencia se vuelve más fluida y tiene un sabor decididamente dulce.

Desde este momento la cantidad de leche producida está en relación al apetito y a las exigencias del pequeño. La cantidad secretada aumenta en el primer mes para después quedarse entre los 600 y 900 g entre el segundo y el sexto mes. De todas formas, entre más succiona el niño más leche se produce.

Por qué amamantar

Amamantar, además de mantener íntimamente unidos al pequeño y a la mamá, tiene numerosas ventajas para ambos.

Las ventajas para el pequeño

La leche materna, aparte de ser el mejor alimento para satisfacer completamente

cuándo baja la leche

Este fenómeno se basa en la participación de diversas hormonas, en especial **la prolactina (responsable de la producción de leche) y la oxitocina (que interviene en la salida de la leche).** Pero lo que no debemos olvidar es la succión por parte del pequeño: **entre más pronto se le da el pecho al recién nacido, más succiona y más pronto se estimula la producción de la leche.** Debe además quedar claro que la producción de leche no tiene nada que ver con el tamaño de los senos: también un seno no tan grande puede tranquilamente producir suficiente nutrimento para el pequeño.

las necesidades nutricionales y de desarrollo del pequeño, tiene otras ventajas excepcionales:

❱ **Refuerza las defensas inmunológicas:** a partir del calostro la madre le transmite al pequeño anticuerpos que pueden protegerlo del peligro de muchas infecciones.

❱ **Ayuda a desarrollar la "buena" flora intestinal bacteriana:** con la leche materna el niño puede desarrollar en su intestino bacterias buenas como el "bacillus bifidus" que puede contrarrestar la proliferación de micro organismos patógenos. La proliferación del bifidus se ve favorecida por algunos azúcares que se encuentran sólo en la leche materna y no en la leche vacuna. Estos gérmenes "buenos" desarrollan funciones de gran importancia, no sólo por lo que se refiere a la acción inmunológica, sino también en la síntesis de vitaminas y grasas poliinsaturadas (grasas esenciales para el desarrollo cerebral).

❱ **Se digiere mejor:** la composición de la leche materna permite su absorción y digestión sin dificultad.

Las ventajas para la mamá

Al principio el amamantamiento puede parecer demandante. En realidad es mucho menos de lo que se podría pensar y, sobre todo, ofrece muchas ventajas para la madre:

❱ Durante el embarazo se acumulan algunas grasas que están programadas para diluirse; para producir leche se necesita usar energía, por lo que **es más fácil perder este exceso de grasas.**

❱ **Durante la succión se producen y se liberan algunas hormonas como**

la prolactina, que incrementa la
producción de leche y la oxitocina;
esta última puede estimular la
contracción del útero ayudando a que
regrese al tamaño que tenía antes del
embarazo.

▶ **Reduce la posibilidad de tener
tumores mamarios.**

▶ **Le permite a la mamá vivir con más
libertad,** en cuanto a que no tiene

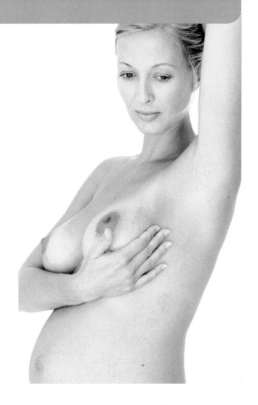

obstrucción mamaria

Consiste en un estancamiento
de leche dentro de la mama,
generalmente debido a un
vaciamiento incompleto de los
canales que transportan la leche
o a la obstrucción de uno o dos
de éstos. En caso de obstrucción
mamaria la mama se pone roja,
se inflama, se endurece y provoca
malestar. Les presentamos **dos
precauciones para evitar este
inconveniente: que no pase
mucho tiempo entre una
toma y otra y no usar sostenes
apretados** (los ductos que
llevan la leche podrían quedar
demasiado apretados y provocar
el estancamiento).

que preparar la leche, está lista y a la
disposición y temperatura adecuada.

▶ **No cuesta nada,** por lo que ofrece
una ventaja también de naturaleza
económica.

Cuándo y cuánto amamantar

Una de las muchas preguntas que la
madre hace al médico es ¿cuántas veces
tengo que amamantar?

**No hay reglas rígidas ni horarios
fijos para hacerlo;** al pequeño que
tiene la posibilidad de ser amamantado
de manera natural se le puede dar el
pecho cada vez que sienta la necesidad
de hacerlo, respetando de esta forma
sus ciclos de hambre. El instinto
materno ayuda a entender cuáles son

las exigencias del pequeño ¡cuándo el llanto es una petición de alimento o tiene otros motivos! Por lo que se refiere a la duración, también en este caso no hay tiempos establecidos, **en general se necesitan de 4 a 5 minutos para vaciar un seno, pero una buena comida puede durar hasta 15 ó 20 minutos.** Hay que recordar que el amamantamiento no representa sólo la necesidad de alimentarse sino que también es una gratificación psicológica:

de hecho el pequeño después de comer se duerme sereno y tranquilo.

La lactancia artificial

Todos saben que la mejor nutrición para un recién nacido es sin duda la leche materna. De hecho, no hay que olvidar que ésta satisface no sólo las exigencias nutricionales del pequeño, sino también las inmunológicas.

Puede suceder que no haya leche materna disponible por razones

imputables a la madre (como en el caso de mastitis y de obstrucción mamaria) o que no sea posible para el pequeño nutrirse de ella (por ejemplo, en presencia de cólicos provocados por gas): en estas condiciones hay que recurrir a la **fórmula.**

El nombre se debe a su composición, **que debe tener los porcentajes exactos de azúcares, grasas y proteínas, muy cercanos a la fórmula de la leche materna. Se obtiene a partir de leche vacuna** que adecuadamente modificada, se trata de hacerla lo más parecida posible a la composición de la leche humana, tanto desde el punto de vista cualitativo como cuantitativo. De hecho, la leche vacuna

jamás se les podría dar a niños muy pequeños.

Entre las dos leches hay profundas diferencias, como muestra la tabla, por ejemplo, la leche vacuna es mucho más proteínica que la humana. De hecho, tenemos que considerar que el pequeño en los primeros 3 ó 4 meses de vida tiene que aumentar su peso unos 3 ó 4 kilos y, por lo tanto, no necesita de grandes cantidades de proteínas, sino más bien de azúcares y de grasas insaturadas útiles para la nutrición y el desarrollo del sistema nervioso. Por el contrario, en el mismo tiempo el becerro aumenta hasta 10 kg, lo que justifica el alto porcentaje proteínico que caracteriza a la leche vacuna. Además, hay que recordar

COMPARACIÓN DE LECHE VACUNA Y HUMANA		
	Leche vacuna (g/100 ml)	Leche materna (g/100 ml)
Agua	8,7	8,8
Proteínas	3,5	1,5
Caseína	3	0,5
Albúmina de leche	0,5	1
Lactosa	4,8	7,3
Grasas	3,7	3,8
Ácidos grasos esenciales	0,1	0,35
Minerales	0,72	0,21
Calorías	**68 kcal/100 ml**	**73-75 kcal/100 ml**

que la fórmula no tiene ninguno de todos los factores de defensa (como los anticuerpos que transmite la madre) contra las infecciones, haciendo que el pequeño al que se le alimenta artificialmente sea más vulnerable y esté menos protegido.

Cómo escoger la leche más adecuada

Los diferentes tipos de fórmulas que se encuentran en el comercio tienen características muy similares entre sí, pero es mejor pedir consejo al pediatra sobre el tipo de fórmula que debemos usar y la dosis adecuada para nuestro pequeño.

Hay fórmulas diferentes, adecuadas para los diferentes momentos de desarrollo del recién nacido:

❱ **leche para el principio:** es la que está formulada **para nutrir al pequeño hasta los 4 meses. La composición es la más cercana a la fórmula de la leche materna;** de hecho, aunque las proteínas son de origen bovino, el azúcar presente en su mayor parte es lactosa (azúcar de la leche como la materna), glucosa y/o malto-dextrinas. Aunque en la actualidad este tipo de fórmula se considera el mejor alimento para sustituir la leche materna para los pequeños de esta edad, sigue habiendo algunos problemas no resueltos porque contiene proteínas particulares que podrían causar muchas alergias (como la beta-lacto-globulina) y además le hacen falta algunos factores biológicos importantes (lactoferrina, lisozima, inmunoglobulina);

❱ **leche de proseguimiento:** indicada **para el destete (5 a 6 meses).** Más o menos a esta edad, cuando el pequeño empieza a tener exigencias nutricionales diferentes y la leche materna muestra algunas carencias, sobre todo por lo que se refiere a micronutrientes (como el hierro y el zinc), es necesaria la leche de proseguimiento. Se trata de una **leche más rica en carbohidratos, vitaminas, hierro y ácidos grasos esenciales que van a compensar las nuevas exigencias nutricionales de este**

momento del crecimiento. Se aconseja no recurrir a la leche vacuna antes del primer año, porque contiene proteínas que pueden causar alguna alergia en el pequeño y de todas formas la cantidad de proteínas presentes en la leche de vaca sería todavía una carga muy pesada para los riñones del pequeño;

▶ **leche de crecimiento:** fórmula para niños que tienen una **edad comprendida entre los 12 y 36 meses,** está constituida por leche vacuna diluida por lo que se refiere al contenido de proteínas, grasas y sales minerales, pero enriquecida con azúcares (como la maltodextrina), hierro, oligoelementos y vitaminas comparada con la leche vacuna.

Los cólicos en el niño

Los cólicos por gases son un fenómeno bastante común en los recién nacidos y se manifiestan generalmente en el tercer mes de vida. Se caracterizan por **repentinos dolores abdominales, a menudo acompañados por calambres.**

No hay que alarmarse en cuanto a que no son peligrosos y se resuelven espontáneamente sin dejar secuelas.

Las causas

El origen de esta molestia puede atribuirse a diversas causas, pero la que tal vez tiene más sentido es la que dice que se debe **a una cierta falta de madurez del sistema gastrointestinal del bebé.** Lo que hace que los gases que se forman en la "pancita" no se pueden eliminar con facilidad. En el intento de librarse de este aire, las paredes abdominales se expanden y como tienen muchas terminaciones nerviosas, crean dolor. Conforme el niño crece, la capacidad de eliminar el gas por parte del intestino aumenta y el problema se resuelve solo. Por una parte es cierto que hay una falta de madurez en el sistema digestivo, pero también es cierto que **la leche** que se le da al bebé en los primeros meses **produce fermentación con la consecuente formación de gas.** Todo esto se junta con la cantidad de aire que el bebé traga mientras come.

Qué se puede hacer

No hay remedios específicos anticólicos, pero se puede tratar de aliviar el dolor y de tranquilizar al recién nacido tomándolo en brazos, **masajeándole la "pancita" en el sentido de las manecillas del reloj y doblándole las piernas hacia el estómago y después estirándolas.** De esta forma se puede ayudar a la eliminación del gas. También, mientras come (ya sea amamantado o con biberón), **se puede tratar de limitar la entrada del aire,** manteniendo al pequeño en posición un poco erecta de manera que pueda repetir mejor. Además, para los niños alimentados con biberón, en las farmacias venden tetillas especiales que reducen al mínimo la entrada del aire.

recetas

▶ *1* porción

Tallarines a la crema de espárragos

Ingredientes

▶ 150 g de espárragos ▶ sal ▶ 1 cucharadita de piñones ▶ 1 cucharada de queso parmesano, rallado ▶ 1 cucharada de aceite de oliva extra virgen ▶ nuez moscada ▶ 80 g de tallarines

Limpie los espárragos y cueza en agua con sal durante 15 minutos a fuego bajo. Cuélelos y corte las puntas más tiernas, reserve. Después de haber cortado los tallos en trocitos, colóquelos en la licuadora junto con los piñones, el queso rallado, el aceite y una pizca de nuez moscada.

Licue todo hasta obtener una mezcla tersa y homogénea (si la crema obtenida es demasiado espesa, agregue una cucharada del agua de cocción de los espárragos).

Hierva los tallarines en abundante agua con sal y escúrralos cuando estén al dente. Colóquelos en un recipiente hondo y condiméntelos con la crema y las puntas de los espárragos reservadas. Agregue unos piñones enteros.

▶ Preparación *15* minutos ▶ Cocción *20* minutos ▶ Grado de dificultad *fácil*

▶ *L*os espárragos tienen un alto contenido de ácido fólico, vitamina indispensable para prevenir patologías graves como la espina bífida que puede provocar graves malformaciones en el pequeño.

▶ **1** porción

Lasaña a la siciliana

Ingredientes

▶ 80 g de pasta para lasaña ▶ un chorrito de aceite vegetal ▶ 1 cucharada de aceite de oliva extra virgen ▶ 1 cebolla pequeña, picada ▶ 1 manojo de perejil, picado ▶ 120 g de jitomates maduros, sin piel y picados ▶ 100 g de requesón fresco ▶ 2 cucharadas de queso de cabra ▶ albahaca fresca, troceada ▶ sal y pimienta

64

Cueza la lasaña, unas cuantas hojas a la vez, en abundante agua hirviendo con sal y un chorrito de aceite para evitar que se peguen una con otra; escúrralas y séquelas con un trapo de cocina.

En una sartén sobre fuego medio, caliente el aceite y sofría la cebolla y el perejil, agregue los jitomates. Condimente con unas cuantas hojas de albahaca, sal y pimienta y cocine durante 20 minutos.

Ponga aceite en la base de un recipiente y cubra con una capa de lasaña. Cubra con una capa de salsa de jitomate, algunos trocitos de requesón y espolvoree con el queso de cabra rallado. Repita la operación alternando las capas hasta terminar con todos los ingredientes. Cueza la lasaña en el horno a 180ºC (360ºF) alrededor de 20 minutos, hasta que se dore la superficie. Sirva inmediatamente.

▶ Preparación **45** minutos ▶ Cocción **40** minutos ▶ Grado de dificultad *media*

▶ *Es un platillo que debe considerase como único plato, ya que se usa requesón. Este alimento no es un queso verdadero, sino un derivado de la leche rico en calcio (295 g/100 g) y muy bajo en grasas (10.9 g/100 g).*

▶ *1* porción

Trofie al pesto (tipo de pasta propia de Liguria)

Ingredientes

Para el condimento: ▶ 10 hojas de albahaca ▶ 1 cucharadita de piñones ▶1 cucharadita de queso de cabra ▶1 cucharadita de queso parmesano rallado ▶ 1 diente de ajo pequeño ▶ sal ▶ 1 cucharada de aceite de oliva extra virgen

Para la pasta: ▶ 80 g de trofie ▶ 1 cucharada de aceite de oliva extra virgen

Prepare el pesto: lave y seque la albahaca, y pique finamente en la licuadora junto con los piñones, los dos quesos, el ajo, una pizca de sal y el aceite.

Cueza las trofie en abundante agua con sal y una cucharada de aceite y cuando estén al dente, escurra y condimente con el pesto a la genovesa.

Sirva la pasta bien caliente complementándola al gusto con una espolvoreada abundante de queso parmesano rallado.

▶ Preparación *15* minutos ▶ Cocción *10* minutos ▶ Grado de dificultad *fácil*

66

▶ *E*s un plato óptimo que se prepara rápidamente y que no crea olores particulares, útil en el periodo en que no se soportan los olores de la cocina y cocinar se vuelve desagradable.

1 porción

Arroz con achicoria y queso taleggio

Ingredientes

1/2 cebolla ▷ 1 cucharada de aceite de oliva extra virgen ▷ 100 g de achicoria roja, lavada y cortada en tiras ▷ 80 g de arroz ▷ caldo de verduras ▷ 30 g de queso taleggio o algún otro queso maduro ▷ sal

Pique la cebolla y sofría en una olla sobre fuego medio con aceite de oliva. Agregue la achicoria. Acitrone algunos minutos y agregue el arroz y el caldo caliente. Tape y cocine a fuego medio durante 20 minutos. Rectifique la sazón con sal.

67

Corte el queso en dados pequeños y agréguelo al arroz unos minutos antes de terminar la cocción. Deje reposar algunos minutos y sirva.

▷ Preparación **15** minutos ▷ Cocción **30** minutos ▷ Grado de dificultad **fácil**

▷ *La porción adecuada de queso nos aporta el calcio sin utilizar grandes cantidades de grasas. De hecho, los quesos son alimentos muy ricos en calcio pero generalmente también tienen grasa animal.*

▷ *1* porción

Pasta con anchoas y jitomates cereza

Ingredientes

▷ 80 g de fusilli ▷ 5 anchoas frescas ▷ 1 cucharada de aceite de oliva extra virgen ▷ 1 diente de ajo pequeño, finamente picado ▷ orégano ▷ una pizca de chile peperoncino en polvo ▷ sal ▷ 4 jitomates cereza, cortados en cuadros pequeños ▷ 1 manojo de arúgula, finamente picada

68

Cueza la pasta en abundante agua con sal hasta que esté al dente. Mientras tanto, lave y corte las anchoas longitudinalmente, retirándoles la cabeza y la espina.

En una sartén caliente el aceite y acitrone el ajo, el orégano y el chile. Añada las anchoas. Agregue sal y, después de algunos minutos, añada los jitomates cereza y la arúgula. Cocine a fuego lento y mueva delicadamente de vez en cuando con ayuda de una cuchara de madera.

Escurra la pasta y agregue un poco del agua de cocción a la sartén. Mezcle la pasta con el condimento preparado para que se impregne del sabor y sirva inmediatamente.

▷ Preparación *15* minutos ▷ Cocción *15* minutos ▷ Grado de dificultad *fácil*

Excelente platillo rico en hierro. Hay que tener cuidado de no comer mucho queso después de este platillo: ¡el calcio contenido en los lácteos podría obstaculizar la absorción del hierro!

▶ **1** porción

Spaghetti a la siracusana

Ingredientes
▶ 1/2 filete de anchoa en aceite ▶ 1 cucharadita de alcaparras en salmuera ▶ algunas aceitunas negras, sin hueso ▶ 2 jitomates maduros ▶ 1/4 de berenjena ▶ 1 trozo de pimiento morrón, picado ▶ 1 cucharada de aceite de oliva extra virgen ▶ 1 diente de ajo pequeño, sin piel y machacado ▶ hojas de albahaca fresca, picadas ▶ sal ▶ 80 g de spaghetti

Usando un cuchillo filoso pique finamente la anchoa, las alcaparras y las aceitunas. Retire la piel de los jitomates y corte en cuadros pequeños. Retire la piel de la berenjena y parta en cubos. Coloque en un colador con sal para que suelte el agua. Limpie el pimiento morrón y ase en el horno o sobre la estufa para retirarle la piel con mayor facilidad.

En una olla caliente el aceite, acitrone el ajo y, en cuanto se dore, retire del fuego e integre la berenjena enjuagada para eliminar el exceso de sal. Cueza algunos minutos e incorpore los jitomates. Rectifique la sazón con sal y agregue el pimiento asado y picado, las aceitunas, las alcaparras y la anchoa picada. Agregue algunas hojas de albahaca y deje cocer.

Cueza el spaghetti en abundante agua hirviendo con sal. Escurra cuando esté al dente y pase a un recipiente. Condimente con la salsa preparada y sirva inmediatamente.

▶ Preparación **20** minutos ▶ Cocción **40** minutos ▶ Grado de dificultad *fácil*

▶ *El tercer trimestre es el periodo más problemático en lo que se refiere al riesgo de aumentar excesivamente de peso. Para tratar de controlarlo se pueden comer platillos apetitosos como éste, rico en sabor pero de valor calórico medio.*

1 porción

Sopa pobre de habas

Ingredientes

250 g de habas verdes frescas 1 zanahoria pequeña 1/4 de tallo de apio 1 cucharada de aceite de oliva extra virgen 1 cebolla blanca pequeña, picada 2 jitomates cereza maduros, sin semillas y picados 2 hojas de salvia 1 rebanada de pan integral sal y pimienta

Desgrane las habas. Retire la piel de la zanahoria y corte en cuadros pequeños. Pique el apio. En una olla con aceite de oliva acitrone la cebolla, agregue las verduras y las habas, añada los jitomates y las hojas de salvia. Cubra con 1/2 litro de agua caliente, rectifique la sazón con sal y cocine, tapado, sobre fuego lento de 30 a 40 minutos.

Tueste el pan, corte en trozos pequeños y colóquelo en un plato sopero. Sirva la sopa hirviendo, agregue un chorrito de aceite de oliva y una espolvoreada de pimienta.

71

Preparación **20** minutos Cocción **50** minutos Grado de dificultad **fácil**

L as habas frescas utilizadas en esta receta no tienen el mismo valor nutricional de las legumbres secas, ya que contienen mucha agua.

◗ **1** porción

Sopa de achicoria y jitomate

Ingredientes

◗ 250 g de achicoria ◗ sal ◗ 1 jitomate maduro ◗ 1 rebanada pequeña de pan horneado
◗ 1 diente de ajo pequeño, picado ◗ 1 cucharada de aceite de oliva extra virgen

72

Lave la achicoria, escurra y hierva en una olla de agua hirviendo con sal. Una vez cocida, escurra y exprima bien para eliminar el exceso de agua. Pique en trozos irregulares.

Mientras tanto, en una olla grande, acitrone el diente de ajo con una cucharada de aceite de oliva. Añada la achicoria. Mezcle, agregue el jitomate picado y mezcle una vez más.

Añada un poco de agua hirviendo y deje que termine de cocerse a fuego alto. Coloque en un plato sopero la rebanada de pan y cubra con la sopa bien caliente.

◗ Preparación **20** minutos ◗ Cocción **30** minutos ◗ Grado de dificultad **fácil**

◗*La achicoria contiene mucha fibra, útil para combatir el estreñimiento, molestia muy común durante el embarazo; a partir sobre todo del tercer trimestre, de hecho, los cambios hormonales y el continuo aumento de peso del feto provocan la disminución de las funciones intestinales.*

▶ **1** porción

Cuscús con cítricos y verduras a la plancha

Ingredientes

▶ 1/2 cebollita de cambray ▶ 1 cuchara de aceite de oliva extra virgen ▶ 80 g de cuscús de cocción rápida ▶ caldo de verduras ▶ 1 zanahoria pequeña ▶ 1 calabacita pequeña ▶ 1/4 de berenjena ▶ 1 naranja no encerada ▶ 1 limón amarillo no encerado ▶ cebollín, picado ▶ sal y pimienta

Pique la cebollita de cambray y acitrone en una olla pequeña con el aceite de oliva. En cuanto se ponga transparente, añada el cuscús y tueste sobre fuego alto. Cubra con el caldo o con la misma cantidad de agua hirviendo y deje que se infle el cuscús, alrededor de 10 minutos.

Mientras tanto, retire la piel de la zanahoria. Retire las puntas a la calabacita y a la berenjena; corte en juliana las dos primeras y la berenjena en rebanadas. Pase las verduras a la plancha de reja, salándolas ligeramente. Corte todas las verduras en trozos pequeños.

Ralle la piel de la naranja y del limón sobre el cuscús todavía caliente y distribuya en un molde para que se enfríe bien. Añada en frío todos los ingredientes, perfumándolos con el cebollín. Agregue sal y pimienta al gusto y sirva.

▶ Preparación **20** minutos ▶ Cocción **20** minutos ▶ Grado de dificultad *fácil*

En lugar del cuscús puede usar otros cereales ricos en calcio como el amaranto y la quínoa. Para quien no está acostumbrado a su sabor, se aconseja usar una parte de arroz (o cuscús) y una de quínoa o de amaranto, cocinados por separado, para respetar los diferentes tiempos de cocción.

74

▶ **1** porción

Sopa de pan

Ingredientes

▶ 1 diente de ajo pequeño, picado ▶ 1 cebolla pequeña, picada ▶ 1 cucharada de aceite de oliva extra virgen ▶ 1/2 cucharadita de concentrado de jitomate ▶ 1 zanahoria, picada ▶ 80 g de papa, picada ▶ 1 tallo pequeño de apio, picado ▶ 80 g de frijoles blancos, cocidos ▶ 80 g de frijoles pintos, cocidos ▶ algunas hojas de berza, troceadas ▶ algunas hojas de acelga, troceadas ▶ algunas hojas de col negra, troceadas ▶ 1 rebanada de pan casero horneado ▶ sal

Acitrone el ajo y la cebolla con un chorrito de aceite. Añada el concentrado de jitomate diluido en un vaso de agua, la zanahoria, la papa y el apio. Añada más o menos 2/3 partes de los frijoles (ligeramente machacados) y agregue 1/4 litro de agua.

Agregue la berza, la acelga y la col negra. Rectifique la sazón y deje cocer, tapada, sobre fuego bajo durante una hora. Termine añadiendo los frijoles restantes y cocine durante 10 minutos más. Coloque en un plato sopero la rebanada de pan, troceado, sobre el cual servirá la sopa. Sirva bien caliente.

▶ Preparación **30** minutos ▶ Cocción **90** minutos ▶ Grado de dificultad **media**

▶ *L a sopa, sobre todo si se cuece durante un tiempo largo, es un integrador natural excelente de muchas sales minerales como el calcio y el magnesio, que son importantes para cubrir las necesidades nutricionales tanto de la mujer embarazada como de la que amamanta.*

▶ **1** porción

Hummus de garbanzo

Ingredientes

▶ 1 cebollita de cambray fresca ▶ 2 cucharadas de aceite de oliva extra virgen ▶ 200 g de garbanzo cocido ▶ algunas alcaparras en salmuera ▶ sal y pimienta ▶ 1 cucharada de jugo de limón amarillo ▶ perejil o arúgula, para decorar

76

Limpie la cebollita de cambray y córtela en rebanadas delgadas, incluyendo la parte suave de color verde. Saltee en una sartén con el aceite de oliva hasta que esté bien cocida. Añada un poco de agua si fuera necesario.

Mientras tanto, ponga el garbanzo en la licuadora y lícuelo hasta que esté cremoso. Agregue la cebollita cocida, las alcaparras, un chorrito de aceite de oliva, una pizca de pimienta y 1 cucharada de jugo de limón y vuelva a licuar. Sirva la crema con guarnición al gusto, decore con perejil o arúgula picados y un par de alcaparras.

▶ Preparación **15** minutos ▶ Cocción **15** minutos ▶ Grado de dificultad ***fácil***

L os garbanzos son una buena fuente de calcio, pero si no se está acostumbrado a comerlos pueden provocar inflamaciones engorrosas; pero si se dejan cocer durante mucho tiempo y se muelen, la producción de gas intestinal se reduce mucho.

▶ *1* porción

Sopa de verduras (minestrone) a la genovesa

Ingredientes

▶ 1 cebolla pequeña ▶ 1 diente de ajo pequeño ▶ 1/2 tallo de apio ▶ algunas hojas de acelga ▶ 1 zanahoria ▶ 80 g de ejotes verdes ▶ 1 calabacita ▶ 1 jitomate ▶ 1 papa ▶ 130 g de frijoles frescos ▶ 80 g de chícharos ▶ 1 cucharadita de pesto ▶ sal

Limpie y pique la cebolla, el ajo, el apio, algunas hojas de acelga, la zanahoria, los ejotes y la calabacita. Retire la piel del jitomate, pártalo a la mitad y exprímalo suavemente para retirar las semillas. Retire la piel de la papa. Caliente 1/2 litro de agua con sal en una olla de buen tamaño, lleve a ebullición y agregue los ejotes, el jitomate, la papa entera, los chícharos y las verduras cortadas. Añada el aceite y deje cocer alrededor de 2 horas (si es en olla de presión 30 minutos).

Saque la papa y presione con ayuda de un tenedor. Vuelva a poner en la olla para hacer el caldo más denso. Cuando esté casi cocido, añada el pesto diluido con anterioridad con un poco de caldo. Mezcle hasta integrar por completo y sirva la sopa fría o caliente.

▶ Preparación *40* minutos ▶ Cocción *140* minutos (40 en olla de presión)
▶ Grado de dificultad *media*

▶ *P*ara una buena producción de leche materna es necesario tomar muchos líquidos en el transcurso del día, también en forma de sopas o cremas de verduras. Puede añadirle al minestrone 70 g de spaghetti troceado, disminuyendo la cantidad de legumbres.

▶ **1** porción

Sopa de pescado

Ingredientes

▶ 1/2 cebolla ▶ 1 zanahoria pequeña ▶ 1 tallo de apio pequeño ▶ perejil ▶ 2 jitomates ▶ 300 g de pescado mixto para sopa (salmón o bacalao fresco) ▶ 1 cucharada de aceite oliva extra virgen ▶ 1 diente de ajo pequeño, picado ▶ 1 cucharada de vino blanco ▶ 1/2 litro de agua ▶ sal y pimienta

Pique finamente la cebolla, la zanahoria, el apio y el perejil. Introduzca los jitomates en el agua caliente lo suficiente para retirarles la piel, escurra y retire las semillas. Corte en cuadros pequeños. Limpie el pescado con agua fría (sin retirarles la espina) y corte en trozos grandes. En una olla grande caliente el aceite de oliva y sofría las verduras picadas y el ajo picado a fuego medio. Unos minutos después añada el vino blanco y déjelo evaporar.

En otra olla ponga a hervir más agua. Integre los jitomates picados con la base de verduras y el agua hirviendo, cocine alrededor de 20 minutos. Añada el pescado poco a poco, empezando por los trozos que requieren más tiempo de cocción.
Añada sal y pimienta al gusto y cocine durante una hora más. Cuele todo y agregue sal y pimienta si fuera necesario. Sirva la sopa de pescado bien caliente decorando con trozos pequeños de pan tostado (Crutón).

▶ Preparación **40** minutos ▶ Cocción **90** minutos ▶ Grado de dificultad **fácil**

79

*E*s una preparación muy rica en calcio, además del que se obtiene del pescado mismo, también y sobretodo el de las espinas que lo liberan en el caldo durante la cocción.

◗ **1** porción

Cuscús con brócoli

Ingredientes
◗ 200 g de brócoli ◗ 80 g de cuscús ◗ 1 cucharada de aceite de oliva extra virgen ◗ 1 diente de ajo pequeño, machacado ◗ 1/2 anchoa en aceite

80

Limpie el brócoli y divídalo en ramos pequeños. Lávelo y ponga especial cuidado en usar también las hojas verdes más suaves. En una olla ponga a hervir bastante agua con sal. Coloque el brócoli en el agua, mezcle y deje cocer. Cuando esté cocido escúrralo y reserve el agua caliente.
Ponga el cuscús en un recipiente grande y vierta el agua de cocción del brócoli, hasta taparlo por completo. Mientras tanto, en una sartén ponga el aceite, el ajo y la anchoa. Deje cocer a fuego muy bajo, hasta que la anchoa se desbarate.

Ponga el brócoli en la sartén y saltee. Deje que todo se impregne del sabor por unos minutos y añada el cuscús. Sirva caliente. Desde luego que en lugar de cuscús se puede usar la clásica pasta.

◗ Preparación **20** minutos ◗ Cocción **20** minutos ◗ Grado de dificultad **fácil**

◗ *Este platillo rico en fibra ayuda a controlar mejor los valores de glicemia, condición importante sobre todo para quien tiene problemas de diabetes gestacional, así como la absorción de las grasas y, por lo tanto, a controlar el peso.*

▶ **1** porción

Sopa de cebada

Ingredientes

▶ 80 g de frijoles pintos ▶ 80 g de cebada perla ▶ 3 cucharadas de aceite de oliva extra virgen ▶ 1 cebolla blanca pequeña, finamente picada ▶ 1/2 cucharada de concentrado de jitomate ▶ 1 trozo de tallo de apio, picado en cuados pequeños ▶ 1 hoja de laurel ▶ sal y pimienta

82

Deje los frijoles remojando en abundante agua durante toda la noche. Hiérvalos y cuélelos para retirarles el agua de cocción, reserve el agua. Mientras tanto, ponga a hervir agua con sal; añada la cebada y deje cocer alrededor de 20 minutos.

En una sartén caliente el aceite de oliva extra virgen y acitrone la cebolla. Agregue el concentrado de jitomate, los frijoles, el tallo de apio y el agua de cocción de los frijoles; deje cocer alrededor de 20 minutos y rectifique la sazón con sal y pimienta.

Cuando terminen los 20 minutos cuele la cebada e integre a la sopa.
Siga cociendo durante 15 minutos más y sirva la sopa caliente.

▶ Preparación **15** minutos ▶ Cocción **60** minutos ▶ Grado de dificultad **fácil**

*S*opa perfecta que puede considerarse como plato único. Es rica en hierro (contenido en los frijoles pintos). Para aumentar la absorción se aconseja terminar de comer con un cítrico rico en vitamina C (por ejemplo, una naranja) o una pequeña porción de pescado.

◗ **1** porción

Tartaleta de quínoa al horno con verduras

Ingredientes

◗ 1 cebolla pequeña ◗ 2 cucharadas de aceite de oliva extra virgen ◗ 1 hoja de laurel
◗ 80 g de pulpa de calabaza ◗ 1 zanahoria pequeña ◗ 2 floretes de coliflor ◗ 50 g de quínoa
◗ 1 cucharadita de semillas de ajonjolí ◗ sal

83

Corte finamente la cebolla y acitrone lentamente en una olla con un chorrito de aceite y la hoja de laurel. Corte la pulpa de la calabaza en cuadros pequeños, retire la piel de la zanahoria y pique. Integre todo con la cebolla acitronada, junto con los pequeños floretes de coliflor y deje cocinar a fuego medio con un poco de agua y una pizca de sal. Si fuera necesario, durante la cocción añada más agua, pero en cantidades pequeñas.

En otra sartén tueste la quínoa con un poco de aceite y cúbrala con agua hirviendo con sal. Tápela y deje cocinar a fuego bajo alrededor de 20 minutos. Retire de la flama y deje que se esponje durante 10 minutos. Cuando esté lista, añádala a las verduras y déjela reposar durante algunos minutos, para que tome sabor. Retire la hoja de laurel, vierta la mezcla en un molde previamente engrasado y espolvoree con semillas de ajonjolí. Hornee a 190ºC (375ºF) durante 6 ó 7 minutos.

◗ Preparación **25** minutos ◗ Cocción **45** minutos ◗ Grado de dificultad *fácil*

◗ *L a quínoa es rica en calcio. Para aumentar aun más el contenido añada a la masa 1 cucharadita de tahíni, una crema que se obtiene de las semillas de ajonjolí machacadas y que son ricas en calcio. A las mujeres que amamantan se aconseja que sustituyan la coliflor, que le puede dar un sabor desagradable a la leche, con otras verduras (acelgas, poro, calabacita, etc.).*

▶ **1** porción

Albóndigas de mijo

Ingredientes

▶ 60 g de mijo ▶ 1 cucharada de aceite de oliva extra virgen ▶ 1 chalote, picado toscamente ▶ 1 hoja de laurel ▶ 100 g de calabaza, picada en cubos pequeños ▶ 1 cucharadita de semillas de ajonjolí ▶ sal

84

Lave el mijo en un colador y coloque en una olla que tenga el doble de agua de lo que pesa el cereal. Hierva y cueza sobre fuego muy bajo, tapado, alrededor de 15 ó 20 minutos, de forma que el agua se absorba por completo.

Mientras tanto, en otra olla no muy alta ponga el aceite y el chalote, la hoja de laurel y la calabaza. Mezcle con cuidado y deje cocer sobre fuego bajo, tapado, durante 20 minutos, añadiendo un poco de agua si fuera necesario. Rectifique la sazón con sal.

Una vez cocido el mijo, integre con las demás verduras hasta incorporar por completo. Precaliente el horno a 180ºC (350ºF). Cuando la mezcla se entibie haga albóndigas ligeramente bajas y espolvoree con las semillas de ajonjolí. Pase a un refractario cubierto con papel encerado para hornear y hornee hasta que se doren.

▶ Preparación **30** minutos ▶ Cocción **35** minutos ▶ Grado de dificultad *fácil*

▶ *Para que el feto crezca necesita mucho calcio. Si la madre no tiene una ingesta adecuada, pondrá en riesgo sus propias reservas, con daño a huesos y dientes. Las semillas de ajonjolí usadas en esta preparación se encuentran entre los alimentos más ricos en calcio.*

1 porción

Pequeñas frituras con frijoles pintos y col

Ingredientes
100 g de frijoles pintos frescos ❯ 100 g de col morada, lavada y cortada en tiras delgadas ❯ 80 g de polenta ❯ 1 cucharada de aceite de oliva extra virgen ❯ aceite de canola ❯ sal y pimienta

En una olla de buen tamaño hierva los frijoles pintos en abundante agua con sal durante 10 minutos. En una sartén caliente el aceite de oliva, añada la col, agregue los frijoles y deje cocer por lo menos durante 50 minutos.

Espolvoree con la polenta, mezclando continuamente con ayuda de un batidor de metal o una cuchara de madera, teniendo cuidado de que no se formen grumos. Rectifique la sazón con sal y pimienta y continúe cocinando durante una hora.

Una vez cocida, retire la polenta del fuego y deje enfriar, extendiéndola en un molde bastante amplio (la polenta deberá tener un espesor de aproximadamente 2 ó 3 cm). Cuando ya esté fría, córtela en cuadros pequeños y fríalos en abundante aceite caliente, hasta que estén dorados.

❯ Preparación **30** minutos ❯ Cocción **120** minutos ❯ Grado de dificultad *fácil*

Una forma deliciosa de comer frijoles pintos, ricos en hierro y, por lo tanto, útiles tanto en el embarazo como en la lactancia. Durante el invierno, cuando se necesitan más grasas, se deberían comer alimentos fritos de vez en cuando. Si se cocina en fritura profunda quedarán más ligeros.

86

▶ **1** porción

Anchoas empanizadas al horno

Ingredientes
▶ 200 g de anchoas frescas ▶ 60 g de pan molido ▶ sal ▶ 1 diente de ajo pequeño ▶ hojas de menta ▶ orégano ▶ 1 cucharadita de alcaparras, finamente picadas ▶ 1 cucharada de aceite de oliva extra virgen ▶ vinagre

Retire y deseche la espina de las anchoas. En un recipiente mezcle el pan molido con una pizca de sal y el ajo, algunas hojas de menta, el orégano y las alcaparras, hasta integrar por completo.

Añada las anchoas volteándolas por ambos lados y presionando con la mano para que se adhiera la mezcla de pan y queden bien empanizadas.

Coloque las anchoas en una olla, de preferencia de barro, rocíe con el aceite de oliva y un poco de vinagre. Hornee a 180ºC (350ºF) alrededor de 20 minutos, hasta que se doren. Sirva las anchoas calientes, rectificando la sazón con sal si fuera necesario.

▶ Preparación **10** minutos ▶ Cocción **20** minutos ▶ Grado de dificultad **fácil**

▶ Contrariamente a lo que se piensa, las anchoas son pescados con un contenido de hierro bastante alto: 10 g de pescado contienen más o menos 2.8 g, cantidad que es muy similar a la que contienen 100 g de carne de ternera (2.3 mg), pero además ésta tiene una buena cantidad de grasas como las Omega-3.

▶ **1** porción

Crostini con huevo y espárragos

Ingredientes
▶ 100 g de espárragos ▶ sal ▶ 20 g de mantequilla ▶ 1 rebana de pan duro ▶ 1 huevo, batido
▶ 1 cucharadita de queso parmesano, rallado

88

Corte los espárragos para retirarles la parte blanca dura; cuézalos en abundante agua hirviendo con una pizca de sal y la mantequilla que se dejará disolver en el agua de cocción.

Mientras tanto, corte la rebanada de pan a la mitad y tueste ligeramente en una sartén o en el horno. Coloque sobre un plato. Bata el huevo y cocine rápidamente en la sartén. Una vez cocidos los espárragos, escurra (conserve un poco del agua de cocción) y cubra con el queso parmesano, el huevo y un cucharón de caldo de la cocción de los espárragos. Vierta todo sobre las rebanadas de pan preparadas y sirva.

▶ Preparación **15** minutos ▶ Cocción **10** minutos ▶ Grado de dificultad *fácil*

▶ *Esta preparación sugiere una forma diferente de comer huevos (en general se permiten dos veces a la semana).*

▶ **1** porción

Pastelito de anchoas con alcaparras y jitomate

Ingredientes

▶ 1 papa amarilla ▶ sal y pimienta ▶ un manojo pequeño de hinojo, desmenuzado
▶ 1 cucharada de aceite de oliva extra virgen ▶ 1 chalote, picado ▶ 5 anchoas frescas
▶ 1 cucharadita de pan molido ▶ 1 jitomate ▶ 3 alcaparras en vinagre, picadas

Hierva la papa con piel en una olla con agua y sal. Escurra en cuanto se ablande el interior. Retire la piel y presione en un recipiente. Agregue un poco de sal y pimienta y el hinojo. En una sartén caliente un poco de aceite de oliva con el chalote, hasta que se acitrone y saltee el puré de papa unos segundos para darle sabor.

Lave las anchoas, retire las cabezas jalándolas hacia el vientre para eliminar la espina central. Vuelva a lavarlas y seque los filetes limpios. Engrase un molde profundo que tenga forma de cúpula y cúbralo con pan molido. Coloque las anchoas en forma de estrella y rellene con el puré de papa, aplanando la superficie. Hornee a 90ºC (190ºF) durante 15 minutos y desmolde.

Mientras tanto, prepare dados pequeños con la pulpa del jitomate y las alcaparras. Añada un poco de aceite y deje que tomen sabor antes de colocarlos sobre el pastelito

▶ Preparación **20** minutos ▶ Cocción **35** minutos ▶ Grado de dificultad **fácil**

▶ *L*as anchoas son pescados que difícilmente se encuentran en criaderos y esto garantiza una mayor cantidad de Omega-3 comparadas con los peces de criaderos; el pez salvaje, de hecho, tiene más posibilidad de alimentarse de algas, que son la verdadera fuente de estas preciosas grasas.

▶ **1** porción

Pez escorpión en salsa de jitomate

Ingredientes
▶ 200 g de filete de pez escorpión ▶ 1 cucharada de aceite de oliva extra virgen ▶ 1 cebolla pequeña, finamente picada ▶ 1 hoja de laurel ▶ perejil, picado ▶ orégano fresco, picado ▶ sal ▶ 50 g de jitomate, sin semillas ▶ 1 cucharada de pan molido

90

Corte el pez escorpión en trozos grandes. En una sartén caliente el aceite de oliva y acitrone la cebolla. Después de 2 minutos agregue la hoja de laurel, el perejil y el orégano y rectifique la sazón con sal. Añada el pescado y empiece la cocción.

Mientras tanto, prepare una salsa picando muy finamente los jitomates. Agregue el jitomate al pescado y cocine durante 30 minutos, teniendo cuidado de agregar agua si fuera necesario. En cuanto esté cocido, sírvalo inmediatamente.

▶ Preparación **20** minutos ▶ Cocción **45** minutos ▶ Grado de dificultad *fácil*

▶ *El pez escorpión es un pescado rico en hierro, mucho más de lo que contiene la misma carne de caballo, bien conocida como una de las carnes con más contenido de este elemento. El pez escorpión, de hecho, contiene 5.5 mg/100 g de hierro; la carne de caballo contiene 3.9 mg/100 g.*

1 porción

Frittata de alcachofas

Ingredientes
2 alcachofas ▶ 1 limón amarillo ▶ 1 cucharada de aceite de oliva extra virgen ▶ 1 diente de ajo pequeño, finamente picado ▶ perejil, finamente picado ▶ sal y pimienta ▶ 2 huevos
Para decorar: ▶ hojas de lechuga

91

Limpie las alcachofas y reserve los corazones tiernos; córtelos longitudinalmente en rebanadas delgadas y remójelos en agua con jugo de limón para evitar que se pongan negras. Mientras tanto, retire la piel de los tallos de las alcachofas y pique en trozos pequeños.

Ponga todo en una sartén con un chorrito de aceite de oliva extra virgen y deje cocer, agregando el ajo y el perejil. Rectifique la sazón con sal y pimienta. Mezcle hasta incorporar por completo y deje cocer, tapado, durante algunos minutos agregando un poco de agua.

Mientras tanto, bata los huevos en un tazón hasta integrar por completo y vierta en la sartén. Mezcle y cueza, moviendo a la mitad de la cocción. Sirva la frittata caliente sobre una cama de hojas de lechuga.

▶ Preparación **20** minutos ▶ Cocción **25** minutos ▶ Grado de dificultad *fácil*

▶ *L as alcachofas tienen la ventaja de contener una calidad buena de fibra capaz de estimular la peristalsis intestinal cuando, sobre todo en los últimos meses de embarazo, ésta se ve muy disminuida.*

▶ **4** porciones

Pizza sabor mediterráneo

Ingredientes

Para la masa: ▶ 600 g de harina blanca de primera calidad ▶ 30 g de levadura de cerveza, disuelta en un vaso de agua tibia ▶ 4 cucharadas de aceite de oliva extra virgen ▶ sal
Para el condimento: ▶ 2 cebollas ▶ 1 kg de jitomate maduro ▶ 6 cucharadas de aceite de oliva extra virgen ▶ 100 g de anchoas en aceite ▶ 2 hojas de albahaca, picada ▶ 12 aceitunas negras en salmuera ▶ 2 dientes de ajo, finamente picado

Ponga la harina en forma de fuente sobre la mesa, vierta la levadura, el aceite y una pizca de sal en el centro. Amase hasta obtener una masa tersa y homogénea, agregando agua tibia si fuera necesario. Tape con un trapo de cocina y deje reposar en un lugar tibio por lo menos durante 2 horas.

Lave y prepare las verduras para el condimento: pique las cebollas, retire la piel y las semillas a los jitomates; pique en trozos pequeños. En una sartén sobre fuego bajo caliente el aceite y saltee la cebolla y, en cuanto empiece a acitronar, añada los jitomates. Deje cocer a fuego alto alrededor de media hora o hasta que el agua de los jitomates se haya evaporado. Lave las anchoas, retire la espina y píquelas. Agréguelas a la salsa. Añada sal y deje que tome sabor sólo unos minutos. Refrigere.

Engrase con aceite la base de una charola para hornear. Con sus dedos engrasados con aceite extienda la pasta hasta dejarla de 1 cm de grueso. Vierta el condimento sobre la masa. Añada la albahaca, las aceitunas negras, el ajo y un chorrito de aceite. Hornee a 240°C (450°F) durante 30 minutos, hasta que esté dorada.

▶ Preparación **30** minutos ▶ Cocción **70** minutos ▶ Grado de dificultad **fácil**

▶ *E sta pizza se prepara sin usar quesos, lo que la hace más digerible: ideal sobre todo para los últimos meses de embarazo cuando los problemas digestivos son más frecuentes. Si las cebollas resultan indigestas se pueden sustituir con otras verduras como berenjenas y calabacitas (a la parrilla).*

▶ **1** porción

Parmesana de berenjenas

Ingredientes
▶ 1 berenjena muy firme ▶ sal ▶ 200 g de salsa de jitomate con albahaca (receta inferior)
▶ 1 cucharada de parmesano rallado ▶ 1 queso mozzarella ▶ aceite de oliva extra virgen

Lave y retire la piel de la berenjena, corte longitudinalmente en trozos no muy delgados. Coloque en un recipiente grande, espolvoree con sal y tape con un plato para que suelte el agua. Después de media hora escurra, retire toda el agua y ase a la parrilla para dorarla ligeramente.

En la base de un refractario distribuya un cucharón de salsa de jitomate y ponga algunas rebanadas de berenjena. Espolvoree con el queso parmesano, cubra con rebanadas de queso mozzarella y bañe con más salsa de jitomate.

Repita la operación alternando las diferentes capas hasta terminar con todos los ingredientes (la última capa debe ser de salsa de jitomate). Añada un poco de aceite y hornee a 180ºC (350ºF) alrededor de 30 ó 40 minutos. Sirva la parmesana tibia.

▶ Preparación **20** minutos ▶ Cocción **60** minutos ▶ Grado de dificultad **fácil**

▶ *P uede preparar la parmesana siguiendo las mismas indicaciones de esta receta, pero omitiendo el queso mozzarella. De esta forma puede servir el platillo como simple guarnición, haciéndolo más digerible y con menos calorías.*

▶ **1** porción

Ensalada de pulpo y frijoles

Ingredientes
▶ 50 g de frijoles pintos ▶ sal ▶ hierbas aromáticas (salvia, romero, laurel…) ▶ 150 g de pulpo cocido ▶ 1 cucharada de aceite de oliva extra virgen ▶ vinagre blanco ▶ 1 diente de ajo, finamente picado ▶ un manojo pequeño de perejil, desmenuzado

94

Cueza los frijoles en una olla de presión con las hierbas aromáticas y sal durante 40 minutos.

Corte el pulpo en trozos pequeños y, cuando estén listos los frijoles, escurra teniendo cuidado de retirar todas las hierbas aromáticas.

Ponga el pulpo en un recipiente y condimente con el aceite, un chorrito de vinagre, el ajo, el perejil y los frijoles escurridos.

Deje reposar alrededor de 40 minutos para que se fundan los sabores. Sirva la ensalada a temperatura ambiente.

▶ Preparación **10** minutos ▶ Cocción **40** minutos ▶ Grado de dificultad **fácil**

▶ *L os frijoles pintos tienen mucho hierro del tipo "no-eme", por lo que se absorbe menos que el de tipo animal, pero es suficiente con asociarlos a proteínas animales como las del pulpo, para que aumente su biodisponibilidad. Para este tipo de ensalada se pueden usar otros tipos de pescado como el bacalao.*

▶ **1** porción

Bacalao al horno con papas

Ingredientes
▶ 100 g de bacalao seco ▶ 150 g de papas ▶ sal y pimienta ▶ 1 cebolla, picada ▶ orégano seco
▶ 1 hoja de laurel ▶ aceite de oliva extra virgen

Deje remojando el bacalao durante toda la noche. Límpielo, lávelo, córtelo en trozos y séquelo.

95

Mientras tanto, ponga las papas enteras a hervir en agua con sal. Después de 10 minutos sáquelas de la olla, quíteles la piel y córtelas en rebanadas gruesas. Cubra el fondo de un refractario previamente engrasado con aceite con las rebanadas de papa y condimente con sal, pimienta y un poco de aceite de oliva.

Mezcle el bacalao con la cebolla y una pizca de orégano, el laurel, aceite y pimienta. Cubra las papas con la mezcla de bacalao. Ponga otra capa de papas, sale y rocíe con aceite. Hornee a 200ºC (400ºF) alrededor de 20 minutos. Sirva el bacalao al horno en el refractario donde se cocinó.

▶ Preparación **20** minutos ▶ Cocción **30** minutos ▶ Grado de dificultad **fácil**

▶*É*ste es un platillo clásico de la tradición mediterránea, sabroso, apetitoso y sin tantas calorías. Hay que tener cuidado de retirar bien la sal al pescado para no arriesgarse a retener líquidos.

▶ **1** porción

Ensalada de bacalao y verduras

Ingredientes

▶ 1 papa pequeña ▶ 1 zanahoria pequeña ▶ sal ▶ 1 cucharada de aceite de oliva extra virgen
▶ 1 diente de ajo pequeño, partido a la mitad ▶ 1/2 tallo de apio, cortado en trozos delgados
▶ 200 g de bacalao cocido, cortado en trozos pequeños

Retire la piel de las papas y la zanahoria. Hierva en agua con sal. Cuando estén cocidas y tibias parta la zanahoria en rodajas y la papa en rebanadas.

En una sartén caliente el aceite y acitrone el ajo. Añada las verduras y el apio.

Saltee todo durante algunos minutos y agregue el bacalao.
Mezcle con ayuda de una cuchara de madera y rectifique la sazón con sal. Deje que tome sabor unos momentos más antes de servir.

▶ Preparación **20** minutos ▶ Cocción **20** minutos ▶ Grado de dificultad *fácil*

▶*Un excelente platillo único sobre todo para los calurosos días del verano. Tiene la gran ventaja de que puede prepararse con un día de anticipación. Se sirve como plato frío; es muy útil sobre todo en los primeros meses del embarazo, cuando se tienen nauseas en la mañana, las cuales impiden cocinar para la hora de la comida.*

▶ **1** porción

Rape con papas y jitomate

Ingredientes

▶ 2 papas cambray, sin piel ▶ sal ▶ 1 trozo de pimiento verde ▶ 1 trozo de pimiento rojo
▶ 2 cucharadas de aceite de oliva extra virgen ▶ 1 diente de ajo, sin piel ▶ 6 jitomates cereza,
partidos en gajos ▶ 200 g de rape, cortado en trozos pequeños ▶ algunas aceitunas negras,
lavadas y sin hueso

98

Cueza las papas en agua con sal durante 10 minutos. Parta longitudinalmente a la mitad.
Queme los pimientos hasta que estén oscuros, meta en una bolsa de plástico, cierre
la bolsa y deje reposar durante algunos minutos. Retire la piel y corte en tiras. En una
sartén con bordes bajos caliente el aceite y añada el ajo, los pimientos fileteados y los
jitomates cereza. Retire el ajo.

Rectifique la sazón y cocine durante algunos minutos. Añada las papas, el pescado y
algunas aceitunas negras   Vierta un poco de agua. Cuando empiece a hervir, tape y deje
cocer durante 15 minutos. Sirva bien caliente.

▶ Preparación **20** minutos ▶ Cocción **35** minutos ▶ Grado de dificultad **fácil**

*D**E**l rape, un pescado de agua salada, puede considerarse
una excelente fuente de yodo, muy importante para el
desarrollo del cerebro y del sistema nervioso del feto. Además
de los pescados de agua salada, el yodo lo encontramos en
los huevos y las verduras, pero en menor medida.*

▶ **1** porción

Jitomates rellenos a la africana

Ingredientes
▶ 80 g de bulgur (trigo suave) ▶ sal y pimienta ▶ 2 jitomates ▶ 1 cucharada de aceite de oliva extra virgen ▶ 1/4 de poro, picado ▶ cebollín ▶ hojas de menta o hierbabuena, picadas ▶ perejil, picado ▶ un limón amarillo no encerado, su jugo y ralladura
Para decorar: ▶ una lechuga ▶ 1 cucharada de aceite de oliva extra virgen

Cueza el bulgur en agua con sal durante 15 minutos. Escurra cuando esté al dente y deje enfriar esparciéndolo en un recipiente. Mientras tanto, lave los jitomates y retíreles la parte superior. Usando una cuchara saque toda la pulpa de los jitomates, teniendo cuidado de no romper la piel.

Pique la pulpa del jitomate y condimente con aceite, sal, poro, el cebollín y las demás hierbas. Mezcle hasta integrar por completo. Añada un poco de pimienta; agregue el jugo de limón y un poco de ralladura. Incorpore todos los ingredientes con el bulgur frío y rellene los jitomates.

Lave la lechuga, corte en juliana y condimente con aceite, sal y pimienta. Colóquela sobre un plato. Cubra con los jitomates rellenos y decore con ralladura del limón.

▶ Preparación **20** minutos ▶ Cocción **25** minutos ▶ Grado de dificultad *fácil*

99

▶ *E*ste platillo da sensación de saciedad sin contribuir a las calorías: con 50 g de bulgur se rellenan 4 jitomates de tamaño mediano o incluso más si además del bulgur, añadimos verduras salteadas en una sartén.

▶ *1* porción

Pulpo pequeño guisado

Ingredientes

▶ aceite de oliva extra virgen ▶ 1 manojo pequeño de romero ▶ perejil ▶ 1 diente de ajo pequeño, picado ▶ 1 cebolla pequeña, picada ▶ 100 g de salsa de jitomate ▶ sal y pimienta ▶ 250 g de pulpos pequeños ▶ 1 rebanada de pan duro

100

En una olla sobre fuego bajo caliente un poco de aceite y saltee el romero, perejil (deje algunas hojas para decorar), ajo y cebolla. Añada la salsa de jitomate y rectifique la sazón con sal y pimienta. Deje cocer alrededor de 15 minutos, agregando de vez en cuando un poco de agua caliente si fuera necesario.

Añada los pulpos, tape y deje cocinar a fuego bajo alrededor de 45 minutos. Cuando estén casi listos, tueste el pan, colóquelo en un platón y cubra con los pulpos. Báñelos con su propio jugo y decore con hojas de perejil.

▶ Preparación *20* minutos ▶ Cocción *60* minutos ▶ Grado de dificultad *fácil*

*D*urante el embarazo es mejor escoger alimentos que no contengan muchas calorías para no subir demasiado de peso. Este platillo casi no tiene grasas; permite comer porciones abundantes sin aumentar una aportación híper calórica.

▶ **1** porción

Pan suave con jitomate

Ingredientes

▶ 2 ó 3 rebanadas de pan casero duro ▶ 4 jitomates pequeños maduros ▶ orégano ▶ sal
▶ 2 cucharadas de aceite de oliva extra virgen

Prepare un recipiente con un poco de agua ligeramente salada, sumerja las rebanadas de pan rápidamente hasta que se suavicen. Escurra y colóquelas en un platón para servir.

Lave los jitomates con agua fría y corte en rebanadas grandes.
Coloque las rebanadas de jitomate sobre el pan. Pruebe y rectifique la sazón con sal y orégano.

Rocíe con aceite de oliva extra virgen y sirva el platillo una vez que haya dejado reposar durante unos minutos para que tome sabor.

▶ Preparación **20** minutos ▶ Grado de dificultad **fácil**

101

▶ *Es un platillo que no crea olores en la cocina, por lo tanto, es útil durante los primeros meses de embarazo. Se le puede añadir ajo finamente picado, pero recordando que cuando empiece a amamantar, éste puede alterar el sabor de la leche.*

▌ **1** porción

Bacalao apetitoso

Ingredientes
▌ 100 g de bacalao fresco, suavizado y escurrido ▌ 1 filete de anchoa en aceite ▌ 1 zanahoria ▌ 1 cebolla pequeña ▌ 1 diente de ajo pequeño ▌ algunas aceitunas negras ▌ 1 cucharadita de piñones ▌ aceite de oliva extra virgen ▌ 2 cucharadas de vino blanco ▌ 2 jitomates, sin piel y picados finamente ▌ 1 papa, cortada en trozos pequeños

102

Limpie y retire la espina del bacalao, dejándole la piel. Córtelo en trozos de aproximadamente 2 cm de grueso.

Pique el filete de anchoa con la zanahoria, la cebolla y el diente de ajo. Sofría todo en una olla a fuego medio con las aceitunas, los piñones y un chorrito de aceite. Bañe con el vino y deje que se evapore.

Añada el bacalao y, después de unos minutos de cocción a calor medio, los jitomates y la papa.
Deje cocer alrededor de una hora (las papas tendrán que ablandarse). Sirva el bacalao bien caliente.

▌ Preparación **20** minutos ▌ Cocción **70** minutos ▌ Grado de dificultad *fácil*

▌ *De la misma forma puede preparar pescados que, por su bajo contenido en grasas, tienen poco sabor; preparándolos de esta forma enriquecen su sabor sin aumentar su contenido calórico.*

▶ *1* porción

Rollitos de pez espada en salsa

Ingredientes

Para los rollitos: ▶ 200 g de pez espada ▶ 1 cucharada de pan molido ▶ 1 cucharada de queso parmesano ▶ perejil, picado ▶ sal y pimienta ▶ aceite de oliva extra virgen ▶ 1 cucharadita de vinagre blanco

Para el condimento: ▶ 1 diente de ajo pequeño ▶ 1 cucharada de aceite de oliva extra virgen ▶ 2 jitomates sin piel, cortados en rebanadas delgadas ▶ perejil, picado ▶ algunas alcaparras en vinagre ▶ 4 aceitunas verdes, sin hueso y picadas ▶ sal

Limpie, pele, quítele la espina y corte el pez espada en rebanadas delgadas. Reserve.

Prepare el condimento: Pique el ajo y acitrónelo en una sartén con un chorrito de aceite, añada los jitomates, el perejil, las alcaparras, las aceitunas y una pizca de sal, si fuera necesario. Cueza todo mezclando con una cuchara de madera hasta obtener una salsa.

Para los rollitos: En un recipiente mezcle el pan molido con el queso parmesano, el perejil, sal y pimienta, un chorrito de aceite y suficiente agua para obtener una masa tersa y homogénea. Ponga una cucharada de esta masa de pan molido en un trozo de pescado y enróllelo. Detenga con un palillo. Repita la operación hasta que se terminen todos los ingredientes.

Bañe los rollitos de pescado con el vinagre y cuézalos en la salsa de jitomate y aceitunas preparada. Sírvalos bien calientes.

▶ Preparación *40* minutos ▶ Cocción *50* minutos ▶ Grado de dificultad *media*

El pez espada pertenece a la familia del pez azul y como tal contiene aceites preciosos como el Omega-3, grasas que contribuyen a formar el sistema nervioso del bebé.

⟩ *1* porción

Budín de calabacitas

Ingredientes
⟩ 150 g de calabacitas ⟩ harina blanca de primera ⟩ 2 cucharadas aceite de oliva extra virgen ⟩ sal ⟩ perejil, picado ⟩ rebanadas de jitomate (opcional)

104

Lave y pele las calabacitas. Córtelas en rebanadas muy delgadas, páselas rápidamente por la harina y sacúdalas con delicadeza para eliminar el exceso de harina.

Caliente el aceite de oliva en una sartén antiadherente y vierta una capa de 2 cm de alto de calabacitas. Tape la sartén y cocine sobre fuego medio. Con ayuda de un plato voltee el budín y fría por el otro lado hasta que se cueza y dore de manera uniforme. Sazone ligeramente con sal, espolvoree con perejil y sirva caliente.
Complemente con algunos trozos de jitomate al gusto.

⟩ Preparación *10* minutos ⟩ Cocción *10* minutos ⟩ Grado de dificultad *fácil*

⟩ *P*ara las mujeres que se hicieron el análisis de toxoplasmosis y sus resultados fueron negativos, sería mejor que durante la preparación laven el perejil cuidadosamente y con mucha atención. Pueden agregar el perejil directamente en la cocción.

▶ **1** porción

Zanahorias al perejil

Ingredientes
▶ 2 zanahorias ▶ jugo de limón amarillo ▶ 1 cucharada de aceite de oliva extra virgen ▶ perejil, finamente picado ▶ sal

Lave cuidadosamente las zanahorias, de forma que elimine cualquier residuo de tierra, y retire la piel con ayuda de un cuchillo.

Cuézalas al vapor hasta que estén al dente. Deje entibiar y corte en rebanadas delgadas. Coloque en un tazón y condiméntelas con un aderezo de aceite, jugo de limón y perejil. Rectifique la sazón con sal. Mezcle cuidadosamente y sirva de inmediato.

▶ Preparación **5** minutos ▶ Cocción **25** minutos ▶ Grado de dificultad *fácil*

106

Esta ensalada puede acompañar un plato de legumbres que tenga gran contenido de hierro, pero que se absorbe menos que el que se encuentra en el pescado y la carne. Gracias a la vitamina C del limón y del perejil, el hierro de origen vegetal se absorbe mejor.

❱ **1** porción

Verduras salteadas al jengibre

Ingredientes
Para las verduras: ❱ 1 zanahoria pequeña ❱ 1/4 de tallo de apio ❱ 1 poro pequeño ❱ 1/4 de hinojo ❱ 100 g de calabaza japonesa ❱ 1 cucharada de aceite de oliva extra virgen ❱ sal
Para el condimento: ❱ 1 trozo de jengibre fresco ❱ 1/2 limón amarillo ❱ orégano

Limpie la verdura, corte la zanahoria longitudinalmente a la mitad y luego en rebanaditas diagonales obteniendo medias rodajas. Corte el apio, el poro y el hinojo en rebanadas de 1/2 cm y la calabaza en rebanadas delgadas.

Caliente el aceite en una sartén, añada las verduras, sazone con sal y saltee a fuego alto durante 5 minutos. Reduzca la flama y cocine 10 minutos más, bañando, si fuera necesario, con un poco de agua.

Mientras tanto, ralle el jengibre y exprima el jugo de 1/2 limón en un recipiente. Agregue el jugo de limón y 1/2 vaso de agua. Mezcle todo y vierta sobre las verduras. Espolvoree con el orégano y deje reposar para que se fundan los sabores. Sirva.

❱ Preparación **20** minutos ❱ Cocción **15** minutos ❱ Grado de dificultad ***fácil***

107

❱ *L a calabaza y la zanahoria son ricas en betacaroteno, una provitamina que el organismo transforma en vitamina A. Este elemento es muy importante durante el embarazo ya que es fundamental para el crecimiento de los tejidos.*

▶ **1** porción

Alcachofas al horno

Ingredientes

▶ 2 alcachofas medianas, muy frescas ▶ 1 limón amarillo ▶ perejil ▶ 1 diente de ajo pequeño ▶ 1 cucharada de queso parmesano, rallado ▶ sal y pimienta ▶ 1 cucharada de pan molido ▶ hojas de menta o hierbabuena ▶ 1 cucharada de aceite de oliva extra virgen

108

Limpie las alcachofas, elimine las hojas exteriores y las barbillas internas. Parta a la mitad y sumérjalas en agua con jugo de limón durante algunos minutos para evitar que se pongan negras.

Mientras tanto, pique finamente el perejil y el ajo, mezcle con el queso rallado.

En un recipiente ligeramente engrasado con aceite distribuya las alcachofas colocándolas con la parte cortada hacia arriba. Espolvoree con la mezcla de ingredientes picados. Pruebe y rectifique la sazón con sal y pimienta; espolvoree con el pan molido. Añada algunas hojas de menta y rocíe con un poco de aceite.
Hornee a 180°C (350°F) alrededor de 20 minutos.

▶ Preparación **15** minutos ▶ Cocción **20** minutos ▶ Grado de dificultad *fácil*

▶ *P*uede sustituir el queso parmesano por queso de cabra rallado y el pan molido por migajón de pan remojado en agua y cortado en trozos pequeños.

▶ **1** porción

Frijoles estilo Arezzo

Ingredientes

▶ 80 g de frijol caupí, remojado en agua fría durante 12 horas ▶ 100 g de jitomates maduros ▶ laurel ▶ 1 diente de ajo pequeño, sin piel ▶ 1 cucharada de aceite de oliva extra virgen ▶ sal y pimienta

Escurra y lave los frijoles remojados. Pase los jitomates por agua hirviendo, escúrralos y páselos por agua fría para poder retirarles la piel con mayor facilidad. Una vez que haya retirado la piel, elimine las semillas y córtelos en pedazos grandes.

Ponga los frijoles en una olla con un poco de aceite, añada los jitomates, el laurel y el ajo. Tape y deje hervir a fuego medio alrededor de una hora. Pruebe y rectifique la sazón con sal y pimienta a la mitad de la cocción.

Una vez que la preparación esté lista retire el ajo y el laurel y sirva bien caliente, completando con aceite de oliva extra virgen y un poco de sal y pimienta.

▶ Preparación **20** minutos ▶ Cocción **65** minutos ▶ Grado de dificultad **fácil**

▶ *Con esta misma receta se pueden preparar otras leguminosas como frijoles rojos, lentejas y garbanzos. Si quiere reducir los tiempos de preparación puede cocinar las leguminosas en la olla de presión.*

▶ **1** porción

Ensalada de cardos "jorobados"

Ingredientes
▶ 150 g de cardos jorobados ▶ 1/2 limón amarillo ▶ aceite de oliva extra virgen ▶ vinagre blanco ▶ 1 cucharada de mostaza ▶ sal y pimienta ▶ perejil, lavado y picado

110

Limpie los cardos eliminando todos los filamentos y las hojas exteriores más duras. Corte los tallos en trozos del mismo tamaño (de aproximadamente 15 cm). En una olla ponga agua a hervir y remoje los cardos, agregando unas rodajas de limón para que no se obscurezcan.

Cuando se suavicen, escúrralos y elimine toda el agua. Una vez secos, córtelos en rebanadas delgadas y póngalos en un recipiente. Aderece con aceite oliva, vinagre, mostaza, sal y pimienta. Condimente muy bien todo y espolvoree la ensalada con el perejil.

▶ Preparación **15** minutos ▶ Cocción **20** minutos ▶ Grado de dificultad *fácil*

▶*L os cardos tienen una buena cantidad de potasio, un mineral bastante útil en el embarazo, ya que ayuda a controlar la contracción muscular: limita la aparición de calambres y da una buena elasticidad a los músculos.*

▶ **1** porción

Ensalada de cebolla morada

Ingredientes
▶ 2 cebollas moradas ▶ 1 cucharada de aceite de oliva extra virgen ▶ 1 hoja de romero ▶ hojas de salvia y laurel, desmenuzadas (opcional) ▶ 1 diente de ajo pequeño, sin germen interior ▶ sal y pimienta

Limpie las cebollas y córtelas a la mitad. Envuélvalas en papel aluminio por separado y cuézalas en el horno a 200ºC (400ºF) alrededor de 50 minutos. Déjelas enfriar en el mismo papel. Al cocinarlas puede añadir hierbas de olor como romero, salvia y laurel. Cuando se entibien córtelas en gajos irregulares.

Pique el ajo y únalo con el aceite y la salvia. Ponga sal y pimienta en las cebollas y condimente con aceite aromatizado al ajo y salvia. Sírvalas tibias y como guarnición de carnes rojas a la parrilla o asadas.

▶ Preparación **15** minutos ▶ Cocción **50** minutos ▶ Grado de dificultad *fácil*

111

▶ *La ensalada de cebollas es una excelente forma para paladear esta verdura que se usa casi siempre como base para un exquisito sofrito, mientras que es casi desconocida como guarnición.*

▶ **4** porciones

Galletas de almendras

Ingredientes

▶ 100 g de harina integral o semi-integral ▶ 100 g de hojuelas de avena ▶ 100 g de almendras picadas ▶ 150 ml de aceite de maíz ▶ 150 ml de miel de maple ▶ 1 pizca de canela ▶ 150 g de mermelada de frambuesa ▶ sal

112

En un tazón mezcle todos los ingredientes secos e integre después los líquidos. Mezcle todo cuidadosamente con ayuda de una cuchara de madera, hasta obtener una masa tersa y homogénea.

Prepare una charola engrasada con aceite y una taza pequeña con agua fría. Con las manos mojadas tome pequeñas cantidades de masa aproximadamente del tamaño de una nuez, haga bolas pequeñas y aplane ligeramente.

Forme un pequeño orificio en el centro de cada bolita y agregue una cucharadita rasa de mermelada. Coloque las galletas sobre la charola y hornee a 150ºC (300ºF) durante 20 minutos, hasta que sólo estén ligeramente doradas, no más porque corren el riesgo de endurecerse.

▶ Preparación **30** minutos ▶ Cocción **20** minutos ▶ Grado de dificultad *fácil*

▶ *L as almendras son una excelente fuente de calcio, elemento esencial durante la gestación, para la formación de los huesos del pequeño y para evitar que se debiliten los de la madre.*

▶ **6** porciones

Pan dulce con uva pasa

Ingredientes

▶ 20 g de levadura de cerveza ▶ 450 g de harina semi-integral ▶ 100 g de azúcar ▶ 1 huevo ▶ 60 ml de aceite de oliva extra virgen ▶ 60 ml de leche ▶ 100 g de uva pasa, hidratadas en un poco de agua tibia ▶ semillas de anís (siempre y cuando le gusten) ▶ 1 cucharadita de extracto de vainilla ▶ ralladura de 1 limón amarillo no encerado ▶ sal ▶ miel

114

Disuelva la levadura de cerveza en un poco agua tibia. Amase la harina con el azúcar, el huevo, el aceite, la leche, la uva pasa, las semillas de anís (si les gustan), el extracto de vainilla, la ralladura del limón y una pizca de sal. Por último vierta la levadura de cerveza poco a poco y siga amasando.

Haga una bola con la masa y deje esponjar durante 30 minutos en un lugar tibio, tapada con un trapo de cocina.

Forme un pequeño pan rectangular (o también varias donas), haga un corte en la superficie del pan y déjelo reposar durante una hora más. Usando una brocha para repostería barnice con la miel diluida con un poco de agua y hornee a 180ºC (350ºF) alrededor de 45 minutos.

▶ Preparación **25** minutos ▶ Cocción **45** minutos ▶ Grado de dificultad *fácil*

*E*s un pan con poca azúcar pero muy sabroso por las uvas pasas y la vainilla que le dan buen sabor. Es ideal en el desayuno para aquellas personas que tienen que controlar el aumento de peso.

6 porciones

Trufas con chocolate y fruta seca

Ingredientes

▶ 300 g de uva pasa ▶ 200 g de avellana ▶ 200 g de almendras ▶ 200 g de nuez ▶ 100 g de piñones ▶ 200 g de miel de abeja ▶ 150 g de manteca de cacao ▶100 g de harina semi-integral ▶ 50 g de chocolate, rallado

En un tazón ponga a remojar la uva pasa en agua tibia alrededor de 10 minutos y exprímala con cuidado. En otro tazón humedezca en agua caliente las avellanas y almendras. Séquelas con un trapo de cocina, frotándolas con cuidado para retirarles la delgada piel.
Ponga la uva pasa, almendras, nuez y piñones en un mortero y muela toscamente.

Mientras tanto, derrita la miel, calentándola a baño María o en una olla pequeña a fuego muy bajo. En un recipiente amplio coloque todo lo triturado de fruta seca y uva pasa. Añada la manteca de cacao, la harina, el chocolate rallado y la miel caliente. Mezcle con ayuda de una cuchara de madera hasta obtener una masa densa. Tome porciones pequeñas de la masa y trabájelas formando bolas pequeñas. Coloque en una charola para hornear y hornee a 200ºC (400ºF) alrededor de 30 minutos.

▶ Preparación **40** minutos ▶ Cocción **40** minutos ▶ Grado de dificultad **fácil**

115

▶ *E*ste postre, rico en fruta seca y, por lo tanto, en calcio, se puede preparar también sustituyendo la miel por malta de maíz o arroz. Se pueden comer como botana a media tarde acompañando con un té de hierbas (porque el té negro y el café limitan la absorción del hierro y calcio).

◗ *6 a 8* porciones

Biscotti con semillas de hinojo

Ingredientes

◗ 600 g de harina de trigo de primera ◗ 1 taza de leche ◗ 100 g de semillas de hinojo ◗ 150 g de azúcar ◗ 70 g de mantequilla, suavizada

116

Coloque la harina sobre una mesa haciendo una fuente y añada la leche, las semillas de hinojo y el azúcar. Amase con la mantequilla, frotándola con sus dedos. Deje reposar la masa, tapada con un trapo de cocina, durante 2 horas en un lugar seco.

Tome pequeñas cantidades de la masa y deles forma de pan ovalado. Haga varios cortes diagonales dejando una distancia de 3 cm entre ellos. Coloque las barras de pan sobre una charola previamente forrada con papel encerado para hornear y hornee a 200ºC (400ºF) alrededor de 20 minutos.

Una vez que las barras de pan estén frías, corte longitudinalmente con ayuda de un cuchillo filoso en las incisiones marcadas. Coloque las rebanadas nuevamente en el horno, no muy caliente, y termine de hornear.

◗ Preparación *30* minutos ◗ Cocción *25* minutos ◗ Grado de dificultad *fácil*

Estos biscotti son excelentes para el desayuno o cuando se tiene la sensación de la nausea mañanera. Tienen mantequilla pero en cantidad más que modesta y a la vez suficiente para darles un sabor agradable.

▶ *6* porciones

Galletas de anís

Ingredientes
▶ 5 huevos ▶ 150 g de azúcar ▶ 1 cucharada de miel de abeja ▶ 1 cucharada de semillas de anís
▶ 10 g de levadura en polvo ▶ 350 g de harina de trigo de primera ▶ 20 g de mantequilla

En un recipiente grande bata los huevos con el azúcar y la miel, mezclando con ayuda de una cuchara de madera para que no se formen grumos.
Por último, añada las semillas de anís y cierna la levadura y la harina sobre la mezcla. Deje reposar algunos minutos.

Pase la masa a un refractario rectangular previamente engrasado con mantequilla. Aplane la superficie y meta al horno a 170 -180°C (340 -360°F) durante 10 ó 15 minutos.

Cuando la masa esté cocida, saque del horno, deje enfriar sobre una tabla para picar. Corte en rebanadas de 10 cm de largo y 2 cm de ancho; colóquelas sobre una charola para hornear y deje en el horno hasta que estén crujientes. Sirva las galletas de anís frías.

▶ Preparación *20* minutos ▶ Cocción *20* minutos ▶ Grado de dificultad *fácil*

118

▶ *L*as galletas de anís se preparan con poca azúcar y no tienen grasas agregadas. Son adecuadas para el desayuno y para calmar un antojo en la tarde.

▶ *4 a 6* porciones

Pastel de almendras

Ingredientes

▶ 2 huevos ▶150 g de azúcar ▶ ralladura de 1 limón amarillo no encerado (tenga cuidado de no rallar la piel blanca) ▶ 170 g de harina semi-integral ▶ 1 sobrecito de levadura ▶ 90 g de almendras, toscamente picadas ▶ 150 ml de aceite de oliva extra virgen ▶ mantequilla para engrasar el molde

En un tazón bata los huevos (claras y yemas) con el azúcar con ayuda de una cuchara de madera. Siga batiendo hasta obtener una mezcla espumosa; añada la ralladura de limón, (teniendo cuidado de no rallar la piel blanca).

Agregue el aceite de oliva. Cierna la harina sobre la mezcla. Añada la levadura y las almendras.

Vierta la masa en un molde para pasteles previamente engrasado y hornee a 180ºC (360ºF) durante 35 ó 40 minutos.

▶ Preparación *20* minutos ▶ Cocción *40* minutos ▶ Grado de dificultad *fácil*

119

▶ *S*i quiere acentuar el sabor de las almendras utilice las que tienen piel; además, para hacer el pastel más sabroso sin añadirle más azúcar, puede agregar una cucharada de licor perfumado: el alcohol se evapora con el calor.

▶ **6** porciones

Panecillos con uva pasa

Ingredientes
▶ 1/2 kg de masa leudada para pan ▶ 65 g de uva pasa, hidratada en agua tibia y exprimida
▶ sal (si la masa leudada no tiene sal)

Ponga la masa leudada en una mesa. Presione hasta forma un hueco y añada la uva pasa en él. Amase hasta integrar por completo.

Haga un rollo con la masa y divídalo en pequeños panecillos redondos. Póngalos sobre una charola para hornear previamente forrada con papel encerado para hornear y tápelos nuevamente con un trapo de cocina y una tapa. Deje por lo menos un cm de separación entre los panecillos. Deje reposar 20 minutos más, hasta que se esponjen una vez más.

Hornee a 180ºC (360ºF) alrededor de 15 ó 20 minutos, poniendo en el horno una vasija con agua, para evitar que la corteza se endurezca demasiado.

▶ Preparación **30** minutos ▶ Cocción **20** minutos ▶ Grado de dificultad **fácil**

120

▶ *En lugar de uva pasa pueden añadir aceitunas enteras sin hueso o cortadas en trozos grandes; se convierten así en botanas saladas sin grasas y sin azúcar.*

▶ **4** porciones

Raspado de cítricos

Ingredientes

▶ 1 naranja no encerada ▶ 1 limón amarillo no encerado ▶ 1 toronja ▶ 1 cedro ▶ 200 ml de agua mineral ▶ 35 g de azúcar ▶ 4 hojas de hierba Luisa, picadas

122

Lave y retire la piel de la naranja, limón, toronja y cedro, corte la cáscara en juliana, corte en dados finísimos y reserve (sólo va a utilizar 2 cucharadas).

Exprima los cítricos y cuele el jugo. Hierva el agua con el azúcar dejando evaporar el agua; deje enfriar. Mezcle el jugo, 2 cucharadas de ralladura y la hierba Luisa. Meta al congelador y deje que se congele, mezclando a menudo con un batidor metálico para obtener un granulado fino. Sirva inmediatamente.

▶ Preparación **10** minutos ▶ Cocción **5** minutos ▶ Grado de dificultad **fácil**

▶ *El raspado es muy adecuado para los calurosos días del verano: no tiene grasa y casi nada de azúcar, es un excelente sustituto para el helado, muy bueno sobre todo para las mujeres embarazadas que tienen que controlar su peso.*

▶ **6** porciones

Fresas glaseadas al chocolate

Ingredientes
▶ 150 g de chocolate amargo a la menta ▶ 20 fresas, lavadas y secas ▶ hojas de manta, para decorar (opcional)

Pique el chocolate amargo a la menta y disuelva 100 g en baño María (o en el microondas a potencia muy baja), sin calentarlo demasiado. Junte el chocolate que quedó y, bajando la flama, glasee las fresas.

Retire el chocolate que sobró de las fresas y colóquelas sobre papel encerado para hornear; deje enfriar. Rocíe al gusto con hojas de menta desmenuzadas antes de meterlas al refrigerador. Sirva inmediatamente.

▶ Preparación **20** minutos ▶ Cocción **10** minutos ▶ Grado de dificultad **fácil**

123

▶ *L as fresas preparadas de esta forma pueden usarse como botana para quitarse un antojo en la tarde y contienen muy pocas grasas y azúcar.*

▶ **1** porción

Crema de manzana y calabaza

Ingredientes
▶ 1 manzana ▶ 50 g de calabaza de Mantua ▶ 1 cucharadita de uva pasa, hidratada en agua tibia ▶ canela ▶ sal ▶ ralladura de 1 limón amarillo no encerado

Retire la piel de la manzana y de la calabaza. Córtelas en cuadros pequeños. Coloque en una sartén con la uva pasa. Añada la canela en polvo, una pizca de sal y la ralladura del limón.

Deje cocer muy lentamente asegurándose de mezclar a menudo hasta que termine la cocción. Sirva la crema decorando al gusto con uva pasa y alguna rebanada de manzana.

▶ Preparación **20** minutos ▶ Cocción **30** minutos ▶ Grado de dificultad **fácil**

▶ *L a calabaza es un alimento con tan sólo 17 kcal/100 g pero la cantidad de almidones que contiene permite sentirse satisfecho durante mucho tiempo. Es un platillo excelente contra el "hambre nerviosa".*

índice de las recetas

127